Manuela Martini

Sommernachtsschrei

Manuela Martini

Sommernachtsschrei

Arena

FSC

Mix
Produktgruppe aus vorbildlich
bewirtschafteten Wäldern,
kontrollierten Herkünften und
Recyclingholz oder -fasern

Zert.-Nr. SGS-COC-003210
www.fsc.org
© 1996 Forest Stewardship Council

3. Auflage 2010
© 2010 Arena Verlag GmbH, Würzburg
Alle Rechte vorbehalten
Covergestaltung: Frauke Schneider
Gesamtherstellung: Westermann Druck Zwickau GmbH
ISBN 978-3-401-06418-5

www.arena-verlag.de
www.arena-thriller.de
Mitreden unter forum.arena-verlag.de

1

Bleib, wo du bist, oder du wirst es bitter bereuen!

Schwarz auf weiß. Gedruckt auf einem gewöhnlichen Blatt Papier. Kein Absender auf dem Kuvert. Adressiert an Franziska Krause, ebenfalls gedruckt. Abgestempelt in München vor zwei Tagen.

Ich falte den Bogen wieder zusammen, stecke ihn in den Umschlag zurück und stopfe ihn in die Tasche meines Kapuzenpullis. Meine Finger zittern, als ich den Briefkasten zuschließe. Mit den drei Briefen für meine Eltern betrete ich den Aufzug, drücke siebter Stock und sehe mir im Aufzugspiegel in die Augen. Ich zucke zurück vor diesem panischen, flackernden Blick. *Das bin ich nicht!*, schreit meine innere Stimme.

Die Türen schließen sich. Ruckartig setzt sich der Aufzug in Bewegung. Ich will fliehen aus diesem neonlichthellen Gefängnis, weg, irgendwohin, wo mich keiner kennt und ich mir vormachen kann, jemand anders zu sein. Vorsichtig taste ich in meiner Tasche nach dem Papier, als hoffte ich, es wäre nicht da und ich hätte eben nur einen Albtraum gehabt. Aber die scharfen Kanten schneiden in meine Finger . . .

Bleib, wo du bist . . .

Ich zwinge mich, meinem Spiegelbild in die Augen zu sehen. *Willst du dein ganzes Leben Angst vor dir und vor solchen Briefen haben?*

Meine Hand zerknüllt das Papier.

Ich werde fahren.

Zwei Tage später sitze ich im Zug und bin unterwegs. Köln – Prien – Kinding. In Kinding ist es passiert. Vor genau einem Jahr. In Kinding ist mein Leben zerfallen in ein Davor und ein Danach.

»Versuch, dich zu erinnern, Franziska. Das ist deine einzige Chance, dich selbst zu verstehen«, sagte Dr. Pohlmann, die Klinikpsychiaterin, bei meiner Entlassung. Ich nickte. Und dachte daran, was andere – und auch meine Eltern – glaubten: »Wie gut, dass sie sich nicht erinnert, sonst wäre sie nicht so leicht aus der Sache herausgekommen.«

Ich tue, was Dr. Pohlmann sagt. Seitdem es passiert ist, versuche ich, mich an jene schreckliche Tat zu erinnern, die mein ganzes Leben verändert hat. Jeden Tag versuche ich, meinem Gedächtnis die düstersten Minuten meines Lebens zu entlocken. Ohne Erfolg.

Ich leide unter einem Posttraumatischen Belastungssyndrom mit Amnesien. Anders ausgedrückt: Ich habe etwas Schreckliches erlebt und etwas in mir weigert sich, die Erinnerung an einen bestimmten Moment freizugeben. Es sei ein Schutzmechanismus der Seele, der verhindert, dass ich mich an wichtige Teile des Traumas erinnern kann, sagt Dr. Pohlmann.

Mir fehlen Minuten. Die entscheidendsten meines Lebens.

Immer wenn ich die Augen schließe und mich an jene Minuten im letzten Sommer erinnern will, ist es, als wäre ich auf einem See und plötzlich umgibt mich dichter Nebel. Ich kann mich noch genau erinnern, was bis zu diesem Zeitpunkt passiert ist. Ich kann mich erinnern, wie es war, als ich meine Augen wieder geöffnet habe. Doch der entscheidende Moment verliert sich in jenem weißen, undurchdringlichen Nebel. Je verzweifelter ich versuche, ihm zu entkommen, umso dichter umschließt er mich.

»Du solltest nicht fahren«, sagte meine Mutter heute Morgen, als ich mit meiner Reisetasche in die Küche kam, um mich zu verabschieden. »Es ist doch genau vor einem Jahr passiert.«

Ich erwiderte nichts, dabei hätte ich sagen müssen: Gerade deshalb fahre ich. Übermorgen würde in Kinding die Sommerparty des Augustinus-Gymnasiums stattfinden. Wie jedes Jahr – und wie letztes Jahr. Da wohnten wir noch am Chiemsee, da ging ich noch auf dieses Gymnasium – und da war ich auf dieser Sommerparty gewesen.

Wochenlang habe ich überlegt, ob ich wirklich nach Kinding – in die Vergangenheit – fahren soll. Kann ich das wirklich durchziehen? Halte ich das aus? Und kann ich das meinen Eltern zumuten? Sie machen sich Sorgen um mich. Mein Vater hat, seitdem es passiert ist, Angina-Pectoris-Anfälle. Und meine Mutter leidet unter Schlafstörungen.

Von dem anonymen Brief habe ich weder meiner Mutter noch meinem Vater was gesagt.

Hinter dem Zugfenster zieht die Landschaft an mir vorbei. Wie mein Leben, denke ich. Ich bin Zuschauer geworden und fürchte mich, zurück auf die Bühne zu gehen, meine Rolle selbst zu bestimmen. Ich bin unsichtbar geworden. Und dann kam dieser Brief. *Bleib, wo du bist, oder du wirst es bitter bereuen.* Unwillkürlich gleitet meine Hand in die Tasche meines Kapuzenpullis. Ich habe es nicht geschafft, den zerknüllten Brief wegzuwerfen. Wer wusste eigentlich von meinem Plan, nach Kinding zu fahren?

Leonie, Maya und Vivian. Mit ihnen habe ich vor einer Woche telefoniert und gesagt, dass ich zur Sommerparty kommen wollte. »Willst du dir das wirklich antun?«, haben sie mich gefragt.

Sie waren die Einzigen aus meiner Schule, die zu mir standen, die mir Briefe in die Klinik geschickt haben, in der ich nach den beiden Wochen in Untersuchungshaft wegen meines Traumas behandelt wurde. Wenn die drei allerdings wussten, dass ich kommen würde, wusste es garantiert halb Kinding ...

Tja, so sind sie eben, meine Freundinnen. Wir fahren in einen Tunnel und im Zugfenster sehe ich mich lächeln. Ihre Schwächen haben etwas Liebenswertes bekommen, weil ich merke, wie sehr sie mir vertraut sind.

Ob ich ihnen von dem Drohbrief erzählen soll?

Der Zug taucht wieder aus dem Dunkel auf und ich blicke gespannt aus dem Fenster. Es ist eine Gewohnheit; jedes Mal, wenn ich aus einem Tunnel herauskomme, erwarte ich, in einer anderen Welt zu sein. Aber die Landschaft hat sich nicht verändert, die gleichen grünen Wiesen, die gleichen Hügel. Dasselbe Wetter.

Ich taste in meiner Jeansjacke nach dem Apfel. Meine Mutter hat ihn mir heute Morgen zusammen mit dem Käsebrot eingepackt. Sie wusste, dass ich mich nicht aufhalten lassen würde, dass ich nach Kinding gefahren wäre, selbst wenn sie und mein Vater es mir verboten hätten.

Manchmal glaube ich, dass sie Angst vor mir haben. Ich bin ihnen fremd geworden. Ihre einzige Tochter hat sie enttäuscht – das müssen sie nicht aussprechen, ich kann es in ihren stumpf gewordenen Blicken lesen, in ihrem Lächeln, das oft wie aufgesetzt wirkt.

Neulich abends, als ich wieder einmal nicht schlafen konnte, weil dieses Gedankenkarussell in meinem Kopf einfach nicht stillstehen wollte, habe ich mir in der Küche ein Glas Wasser geholt. Da habe ich aus dem Schlafzimmer die Stimme meiner Mutter gehört. »Was haben wir nur falsch gemacht? Warum ist sie so geworden?« Mein Vater hat geseufzt, dann hat er gesagt, dass er jeden Tag dafür betete, dass Kommissar Winter meinen Fall nicht noch einmal aufrollen würde.

Genau damit hatte mir Kommissar Winter nach meiner Entlassung gedroht. »So einfach kommst du nicht davon, Mädchen!«, hatte er gesagt und mir dabei fest in die Augen gesehen.

Er fühlte sich persönlich gekränkt, weil ich aus Mangel an Beweisen aus der Untersuchungshaft freigelassen werden musste. Als ich dann in der Klinik war, rechnete ich fast jeden Tag damit, dass er auftauchen und mich wieder verhören würde. Aber er war kein einziges Mal gekommen.

Hastig wende ich mich vom Zugfenster ab, als wir durch einen weiteren Tunnel fahren, als könnten sich dort seine kalten grauen Augen spiegeln und nicht meine. Ich weiß, dass das Unsinn ist, doch Kommissar Winter will einfach nicht aus meinen Gedanken weichen. Ich höre seine Stimme, so nah und deutlich, als würde er direkt neben mir sitzen und mir ins Ohr flüstern. »Tief in deinem Innern ist etwas, das die Tatsachen nicht sehen will, Mädchen. Glaub mir, das kommt öfter bei Tätern vor: Sie können und wollen nicht akzeptieren, dass sie es wirklich getan haben. Sie verdrängen die Tat so lange, bis sie von ihrer Unschuld überzeugt sind. Oder schlimmer noch – bis sie glauben, die ganze Welt hat sich gegen sie verschworen und will sie hinter Gitter bringen.« Immer und immer wieder hatte Winter mir diese Sätze gesagt. Einmal hatte dabei ein triumphierendes Lächeln auf seinen Lippen gelegen.

Ich kann nicht glauben, dass ich zu dieser Sorte gehören

soll, aber was weiß man schon von sich selbst? Von seinen Abgründen, von dem Düsteren, Dunklen, das da irgendwo in den tiefsten Winkeln der Seele haust.

Deshalb bin ich unterwegs. Deshalb habe ich mich auf den Weg nach Kinding gemacht, denn solange ich diese Verstecke nicht erforscht habe, habe ich Angst, dass es wieder passieren könnte. Dass ich es wieder tun könnte. Mich quält dieses schwarze Loch in mir. Es fühlt sich an, als lebe dadrin im Verborgenen ein böses, wildes Tier, das nur auf eine Gelegenheit wartet, auszubrechen und sich auf ein neues Opfer zu stürzen. Ich fürchte mich vor mir.

Würzburg. Laut Fahrplan bleiben mir noch zwei Stunden bis Prien am Chiemsee. Mehrere Leute steigen zu, ein älteres Pärchen mit Rucksäcken und Teleskopstöcken sucht sich einen Fensterplatz auf der anderen Gangseite. Wandern fand ich immer langweilig, aber während der Zeit im Gefängnis hab ich mich plötzlich danach gesehnt, auf einen hohen Berg zu steigen und vom Gipfel aus in eine grenzenlose Weite zu schauen. Ein junger Asiate mit Reiseführer in der Hand geht an meinem offenen Abteil vorbei, zögert kurz, setzt sich aber dann doch woandershin. Ich atme auf.

Die Tage im Knast haben mich empfindlich gemacht. Fünf Meter hohe Mauern mit Stacheldraht, vergitterte Fenster, Eisentüren. Selbst wenn am Morgen die Zellen aufgeschlossen wurden, blieb das Gefühl der Enge. Und am Abend dann wieder das Klappern der Schlüssel, das kalte, metallische Klicken, wenn die Tür ins Schloss fällt. In engen Räumen fürchte ich zu ersticken und Körpernähe macht mich nervös. Auch die Monate in der Traumaklinik, in der ich nach der Untersuchungshaft in einem Einzelzimmer untergebracht war, konnten die Gefängniszeit nicht auslöschen.

Endlich fährt der Zug wieder an. Stillstand kann ich kaum noch ertragen. Ich liebe es, stundenlang spazieren zu gehen. Wenn ich über längere Zeit in einem Raum sein muss, fange ich irgendwann an, auf und ab zu gehen, wie die im Zoo eingesperrten Tiger und Löwen.

Meine Schrift ist krakelig, aber ich habe keinen Platz mehr an einem Tisch bekommen, also muss ich das Schreibheft auf die Knie legen, es geht nicht anders. Dr. Pohlmann hat gesagt, dass es mir helfen könnte, wenn ich die Sachen, an die ich mich erinnere, aufschreiben würde. Wenn ich überhaupt schreiben würde. Meine Gedanken ordnen. Das Karussell anhalten.

Gleisanlagen, Industriebauten ziehen vorbei. Regentropfen klatschen an die Zugfenster. Ich betrachte sie, wie sie in viele kleine zerspringen und am Glas herunterrinnen wie unzählige Tränen, bis der Wind sie schließlich wegwischt.

Die ersten Tage im Gefängnis habe ich jeden Tag geweint. Doch dann hörte es auf. Ganz plötzlich. Es war, als wäre in meinem Innern etwas zerbrochen und als könnte ich danach keinen Schmerz mehr empfinden. Als könnte ich überhaupt nie wieder irgendwas empfinden.

Sie mieden mich, die Mädchen, die auf ihren Prozess wegen Ladendiebstahl, Raub oder Sachbeschädigung warteten, manche hatten sogar Angst vor mir. Ich kann mich noch an den ersten Tag erinnern. Das war der schlimmste. Ich wurde von den Mädchen gemustert, jeder Schritt, jedes Wort, jede Handbewegung wurde genau registriert. Denn schließlich hatte ich ja etwas viel Schlimmeres getan.

Ich mochte nur eine. Katie. Sie hat nie erzählt, weshalb sie saß. Sie sagte überhaupt nur sehr, sehr wenig. Aber jeder Satz hat mich zum Nachdenken gebracht.

Dann wurde ich taub. Hörte nicht mehr die Gespräche meiner Zellengenossinnen über ihre Ängste, dass sich ihre Freunde eine andere suchten, oder über Stars, deren Affären sie begierig in abgegriffenen Zeitschriften verfolgten. Währenddessen lag ich auf meinem Bett und grübelte.

Immer wieder wurde ich befragt, immer wieder habe ich dieselben Antworten gegeben. Und immer wieder stieß ich dabei auf das große schwarze Loch, die Frage, warum ich mich nicht mehr erinnern kann.

Nachdem es passiert ist, sind meine Eltern von Kinding nach München gezogen. In ein anonymes Hochhaus am südlichen Stadtrand. Ihre Tochter mache eine Ausbildung, haben sie erzählt, wenn Nachbarn nach Kindern fragen.

In den ersten Tagen nach meiner Entlassung aus der Klinik habe ich mein Zimmer überhaupt nicht mehr verlassen. Dabei hatte ich mich so nach dem freien Himmel über mir gesehnt. Aber ich hatte Angst vor den Menschen, vor ihren Blicken, vor ihren Bewegungen, ich hatte panische Angst, auf der Straße angesprochen zu werden. Jede Minute fürchtete ich, dass sich eine Hand auf meine Schulter legte und jemand zu mir sagte: Du gehörst doch hinter Gitter!

Vor drei Monaten hat mein Vater einen neuen Job in Köln gefunden. Seitdem wohnen wir dort. Wieder in einem anonymen Wohnblock, als müssten meine Eltern sich mit mir ihr Leben lang verstecken.

Endlich, nach Stunden, so kommt es mir vor, dabei können nur Minuten vergangen sein, sind keine grauen Gebäude mehr zu sehen. Die Landschaft, die jetzt am Zugfenster vorbeifliegt, ist üppig grün. Ein verregneter Sommer. Hoffentlich fällt das Sommerfest am See nicht ins Wasser, denke ich.

In den Tagen im Gefängnis, als ich den Himmel nur als

Quadrat über dem Hof und durch die Eisengitter der Zelle gesehen habe, wünschte ich mir oft, im Freien in einer grünen Landschaft zu stehen und mich vom Regen durchweichen zu lassen. Eines Morgens schrieb ich den Song. Er kam wie von selbst.

Raindrops are falling
Outside not here
I wish I were there
Where rivers flow
And the wind whistles
Our song

A sunray is falling
Into my prison cell.
Do you still remember
The color of my eyes?
The sound of my voice?
Time is the enemy.

Ich sang den Song ganz leise, wenn ich nicht schlafen konnte, auch später in der Klinik, und ich singe ihn immer noch. Er hilft mir zu überleben.

Ich schließe die Augen. Sie brennen. Ich schlafe ja kaum.

Vielleicht haben wir uns gestritten? Oder es waren der Alkohol und diese verfluchte kleine Pille? Ich kann mich nicht erinnern.

Die Nacht der Sommerparty. Maurice und ich. Dann sehe ich alles vor mir, wie Schnappschüsse in einem Fotoalbum. Maurice und ich im Bootshaus. Das Boot schaukelt im Wasser, auf dem sich glitzernd das Mondlicht spiegelt. Seine

Hände in meinem Nacken. Sein Gesicht, das sich langsam dem meinen nähert. Der Kuss. Schließlich hebe ich das schwere, alte Holzruder auf – wir wollen mit dem Boot auf den See. Dann der dumpfe Schlag.

Und dann ... ja, dann folgt das große schwarze Loch, der aus meinen Erinnerungen ausgestanzte Moment.

Als ich wieder zu mir komme, halte ich noch immer das Ruder in der Hand. Und vor mir liegt Maurice, mit dem Hinterkopf an die Bootswand geschlagen. An der Schläfe eine blutende Wunde, die ich ihm mit dem Ruderblatt zugefügt habe.

Seine Augen sind leer.

Ich habe Maurice umgebracht.

2

Vergangenheit

Ich bin ihm das erste Mal an meinem zweiten Tag in der neuen Schule begegnet. Eigentlich wollte ich nach dem ersten Tag schon gar nicht mehr dorthin. Das in Kinding war einfach eine andere Welt, in die ich definitiv nicht hineinpasste. Die Welt von D&G, Lacoste, Hilfiger und Co.

Keiner trug H&M-Jeans wie ich. Wirklich keiner. Ich kam mir vor, als hätte ich statt Klamotten Kartoffelsäcke an.

Keiner hatte ein so unschickes Handy wie ich – ein Nokia, das man zwar nicht gerade als altmodisch bezeichnen konnte, aber es war kein iPhone und auch kein BlackBerry.

Nie im Leben habe ich mich so sehr zweiter Klasse gefühlt wie an dieser Schule. Für die meisten war ich einfach Luft.

Aber meine Noten, besonders in Physik und Mathe, waren so gut, dass mich meine Eltern unbedingt auf die Schule mit den besten Lehrern schicken wollten. Tja, und das war nun mal leider das Augustinus-Gymnasium.

Er fiel mir also auf, als ich am Morgen über den Schulhof ging. Die Sonne schien, es war Frühsommer und die Luft roch nach Heckenrosenblüten und war noch ein bisschen feucht von der Nacht. Wir hatten in der ersten Stunde Geschichte und ich hoffte, dass sie hier im Unterricht nicht weiter waren als an meiner alten Schule. Meine Eltern erwarteten, dass ich meine Zwei halten konnte . . .

Daran dachte ich, als er plötzlich da war – inmitten all der

Gesichter sah ich auf einmal sein Gesicht. Dunkle Locken fielen ihm in die Stirn und seine Augen sahen direkt in meine, als hätte er nur auf mich gewartet. Um uns herum tobten und lachten und redeten alle, nur wir waren still und sahen uns an. Ich hatte das Gefühl, als würde die Zeit stehen bleiben, als würden seine Augen mich in sich hineinziehen, an einen Ort, nach dem ich so lange gesucht hatte.

Das war Quatsch, das wusste ich, aber trotzdem, in dem Moment empfand ich es genau so. Wir mussten uns schon früher begegnet sein. In einem anderen Leben.

Und dann wurde mir plötzlich bewusst, dass ich inmitten einer Menge Leute stand, die mich abschätzig grinsend musterte. Ich spürte, wie mir das Blut in den Kopf schoss, und mein Gesicht fühlte sich knallrot an. Schnell wandte ich den Blick ab und hastete an ihm vorbei, die Augen fest auf meine Sneakers geheftet, die mir auf einmal viel zu alt und schmutzig vorkamen.

Du bist total bescheuert, Franziska!, schimpfte ich mich. Glaubst du wirklich, dass dieser Typ sich ernsthaft für dich interessieren würde? Er trägt wie alle anderen Designer-Jeans, die neuste Ray Ban und sein Hemd sieht auch verdammt teuer aus! Was soll so einer an dir schon finden?

Erleichtert atmete ich auf, als ich ihn in ein anderes Klassenzimmer gehen sah. Er war in der Parallelklasse. Gott sei Dank.

Trotzdem musste ich an diesem Tag dauernd an ihn denken. In der Pause lief ich quer über den Schulhof und hielt nach ihm Ausschau, konnte ihn aber nirgendwo mehr sehen. Am Nachmittag konnte ich mich kaum auf meine Hausaufgaben konzentrieren. Du spinnst, sagte ich mir, schlag ihn dir aus dem Kopf! Warum sollte er sich für dich interessieren, wo doch alle anderen Mädchen in deinem Alter viel besser aussehen! Sie hatten coolere Klamotten, waren schlanker, größer und blonder, sie hatten längeres Haar, längere Beine und waren perfekt geschminkt. Wenn ich in den Schulstunden saß und die Mädchen im Klassenzimmer verstohlen musterte, kam ich mir plump, hässlich und unreif vor. So miserabel hatte ich mich noch nie vorher gefühlt.

In meiner alten Schule war ich einfach der Durchschnitt gewesen. Kaum eine meiner Freundinnen kam geschminkt in den Unterricht oder trug irgendwelche teuren Klamotten. Wenn jemand mit dem Auto zur Schule gebracht wurde, dann mit normalen Kombis oder Kleinwagen. Aber hier in Kinding fuhren irgendwelche fetten Mercedes oder Geländewagen vor, immer blitzeblank poliert, nicht selten waren eine Tasche mit Golfschlägern und ein Labrador im Kofferraum.

Ich kam mit dem Fahrrad. Einem Mountainbike wenigstens, auch wenn es nicht mehr das neuste war. In meinem Alter hatten viele hier Motorroller oder ein Motorrad. Hätte ich auch gern gehabt. Aber meine Eltern fanden, dass Steuer und Versicherung viel zu teuer wären. Ich überlegte sogar, mir einen Job zu suchen, um mir einen Motorroller kaufen zu können. In den Sommerferien – wenn die anderen nach Sardinien oder Florida oder in die Schweiz fuhren . . .

Er hieß Maurice, wie ich am darauffolgenden Morgen erfuhr, als ich mein Rad vor dem Schulhof abschloss. Er war aus einem schwarzen Mercedes-Allrad-Geschoss ausgestiegen und kam zu Fuß den Gehweg zum Schultor entlanggeschlendert, die Lacoste-Umhängetasche baumelte lässig über seiner rechten Schulter. »He, Maurice!«, riefen zwei Jungs, die gerade ihre Motorroller abstellten.

Ich nestelte an meinem Schloss herum, um dann »zufällig« aufzublicken, wenn er nah genug bei seinen Freunden angekommen wäre. *Nicht rot werden!,* befahl ich mir, zählte stumm bis fünf und hob schließlich den Kopf. Doch da hatte er sich schon umgedreht und ging mit seinen Freunden über den Hof zum Schulgebäude.

Ich ärgerte mich unheimlich über mich selbst. Warum hatte ich hier nur solche Hemmungen? An meiner alten Schule, in meinem alten Leben hatte ich mir nie Gedanken darüber gemacht, ob ich es wert war, einen Jungen anzuschauen. Aber hier war alles um mich herum glänzender, größer, schöner, wichtiger, erfolgreicher ... und ließ mich dafür umso kleiner, hässlicher und losermäßig erscheinen.

Niedergeschlagen stapfte ich ins Schulgebäude.

Warum haben meine Eltern ausgerechnet hierherziehen müssen?, dachte ich wütend.

3

Ist da frei?«, schreckt mich eine Stimme auf.

»Ja«, sage ich, ohne aufzusehen, hoffe, dass er sich weder neben mich noch direkt gegenüber ans Fenster setzt. Er nimmt den Gangplatz schräg gegenüber von mir.

»Schriftstellerin, was?« Er deutet auf mein Schreibheft.

Ich sehe ihn an, ohne ihn wirklich zu sehen.

»Sorry, tut mir leid!« Er ist sofort ernst geworden und macht eine beschwichtigende Handbewegung. »Ich wollte nicht . . .«

Ich wende mich von ihm ab und er spricht nicht weiter.

In meinem früheren Leben, ich meine, bevor das alles passiert ist, wollte ich immer nett und freundlich zu allen sein, wollte dazugehören. Was hätte ich darum gegeben, so zu sein wie meine Freundinnen! Jetzt ist es mir egal, was andere über mich denken.

Wenn du versuchst, so zu sein, wie die anderen dich haben wollen, gibst du ihnen bloß Macht über dich. Das war einer der wenigen Sätze, die Katie immer gesagt hatte.

Katie lachte nie. Ihr Haar war büschelweise ausrasiert und sie hinkte. Dabei fehlte ihr nichts, behauptete die Ärztin.

Mit dem Hinken und der räudigen Frisur hat sie ihre Grenze verteidigt, die sie um sich gezogen hat, glaube ich. Das hielt alle fern.

Der Regen hat aufgehört. Draußen hinter den Scheiben zeigen sich jetzt ausgedehnte gelbe Getreidefelder und Autos rollen wie Spielzeug auf der Straße, die den Schienen folgt.

Ich nehme alles in mir auf, sauge es ein in diese weite, hungrige Leere.

»Entschuldigung, ich wollte wirklich nichts Falsches sagen«, kommt es wieder von dem Jungen, der mir schräg gegenübersitzt.

Ich habe ihn ganz vergessen und betrachte ihn nun genauer, während er mich genauso unverhohlen mustert wie ich ihn. Sein blondes Haar reicht ihm fast bis auf die Schultern und fällt ein Stück über seine Augen. Seine Haut ist sonnengebräunt, sein Poloshirt verwaschen, am Handgelenk trägt er ein Lederband und mehrere bunte Bänder und am Mittelfinger einen breiten silbernen Ring. Die Finger ruhen auf den Tasten seines Notebooks. Plötzlich treffen sich unsere Augen und mein Herz beginnt einen Moment lang schneller zu klopfen. Schnell wende ich den Blick ab.

Blau. Nicht braun. Zum Glück.

Maurice hatte dunkelbraune Augen. Maurice . . . wenn ich an ihn denke, krampft sich in mir alles zusammen.

»Sprichst du Deutsch?«, fragt er, ohne zu lachen, und sieht von seinem Notebook auf.

Er meint es ernst, kann es wohl nicht ertragen, wenn man sich nicht mit ihm unterhält, dabei gibt er sich doch solche Mühe.

»Immer noch, ja«, antworte ich.

Er lacht, verstummt wieder. Sieht mir in die Augen.

»Ich heiße Benjamin.« Er räuspert sich. »Wenn du willst . . . ich meine, du musst ja nicht . . . dann kannst du mir auch . . . äh . . . deinen Namen sagen.«

»Paula«, lüge ich. Habe ich mir angewöhnt. Mit einem falschen Namen kann ich mich unschuldig fühlen.

»Paula? Schöner Name.« Dann weiß er nicht weiter.

Erstaunlich, wie schnell man manche Menschen verunsichert, wenn man nicht so reagiert, wie sie es erwarten.

Hi, ich heiße Franziska. Meine Freunde nennen mich Ziska. Was machst du, Benjamin? Du fährst nicht zufällig auch nach Prien, in die Provinz, was? Welche Musik hörst du? Echt cool . . . blablabla . . .

Fahrerwechsel. Fahrkarten vorzeigen. Meine Hand zittert, als ich der Zugbegleiterin meine Karte gebe. Sofort denke ich an die morgendlichen und abendlichen Appelle, als man sich vor seiner Zellentür aufstellen musste und durchgezählt wurde.

Man . . . ich schreibe schon wieder *man.* Dr. Pohlmann hat mir erklärt, dass ich das tue, weil ich mich damit distanzieren will, von der Person, die das alles durchgemacht hat. »Versuche, diese Person anzunehmen und zu lieben, egal, was sie getan hat. Erst dann kannst du wieder leben«, hat sie zu mir gesagt.

Ich kann mich nicht annehmen. Ich fürchte mich sogar vor mir.

»Wir haben etwa zehn Minuten Verspätung in Prien«, sagt die Zugbegleiterin und lächelt mich an.

»Du fährst auch nach Prien?«, fragt Benjamin mich, als die Schaffnerin weitergegangen ist.

»Ja.«

»Kennst du Prien?«, fragt er weiter.

»Ja.«

»Wirklich? Super! Ich hab dort einen Job bekommen. Aber ich war erst einmal zum Vorstellungsgespräch da. Viel scheint in Prien ja nicht gerade los zu sein. Ich hab keine Ahnung, was man da so machen kann. Am Wochenende, meine ich.«

»Baden gehen«, sage ich, ohne nachzudenken. Und schon überfallen mich die Bilder vom Lagerfeuer am See, vom Bootshaus, vom Mond über dem Wasser. Er war voll. Eine glänzende, goldene Münze ... Auch dieses Jahr ist zur Abschlussparty Vollmond, ich habe schon im Kalender nachgesehen.

»Cool. Ja, der See ist perfekt«, sagt er.

»Perfekt. Perfekt für was?«, bricht es aus mir heraus. Ich erschrecke vor meiner eigenen Lautstärke. *Perfekt für einen Mord?*

»Äh ... für ...«

Ich habe ihn total verunsichert. Ihn, der wahrscheinlich sonst nur mit seinem beringten Finger schnippen oder sein blondes Haar schütteln muss, und schon werfen sich die Mädchen an seinen Hals. Ich merke, wie Wut in mir aufsteigt.

Er wartet darauf, dass ich nett bin. Dass ich lächle, damit er dann auch lächeln kann, was ihn erleichtern und sich wieder gut fühlen lassen würde.

Ohne eine Erklärung drehe ich mich zum Fenster. In meinem früheren Leben hätte ich längst Herzklopfen gehabt und wäre nervös gewesen, weil mich so ein cooler Typ anspricht. Jetzt bedeutet es mir nichts mehr. Das letzte Jahr hat mich härter gemacht.

Er schweigt.

Also ... wo war ich stehen geblieben? Ich blättere in meinem Notizbuch und überfliege die geschriebenen Seiten. Doch ich kann mich nicht mehr darauf konzentrieren. Ich klappe das Heft zu, lege den Stift beiseite und sehe aus dem Fenster. Lasse die Landschaft vorbeiwischen. Die zwei Wochen im Gefängnis haben mich ausgehungert. Nach Farben und Tönen und anderen Gerüchen als denen nach Schweiß und billigen Parfüms. In meiner Zelle war ein Mädchen, deren Namen ich vergessen habe. Aber ich kann mich noch genau daran erinnern, dass sie jeden Morgen dieses ätzende, billige Parfüm benutzt hat. Wie früher vielleicht, als sie sich jeden Morgen für ihren Job als Supermarktkassiererin fertig machte. Das Parfüm war ein Teil ihrer Identität, an die sie sich verzweifelt klammerte, um sich in den grauen Gefängnismauern nicht ganz zu verlieren. Ich habe ihr Parfüm noch immer in der Nase, obwohl es schon fast ein Jahr her ist.

Ob das Mädchen wohl immer noch im Knast war? So wie Katie, die eine Haftstrafe von vier Jahren absitzen musste. Für Totschlag konnte man bis zu zehn Jahre bekommen. Mich musste man aus Mangel an Beweisen nach zwei Wochen aus der Untersuchungshaft entlassen. Wenn es nach Kommissar Winter geht, würde ich bald wieder eingesperrt werden. Für ihn ist es ein ungelöster Fall, der an seinem Ego nagt und den er zu Ende bringen will.

Doch bevor ich wieder ins Gefängnis muss, will ich mich erinnern, was zwischen mir und Maurice passiert ist.

Die Bremsen quietschen: Prien.

4

Der Zug steht. Mir ist mulmig. Leonies SMS lautete: Hole dich ab. Die Frau vor mir hantiert an der Ausstiegstür. Und wenn sie es sich doch anders überlegt hat und in Kinding geblieben ist? Dann müsste ich hier in einen Bus steigen. Meine Handflächen sind feucht, ich wische sie an meiner Jeans ab.

Da ist wieder dieses Gefühl in mir, es überfällt mich wie ein dunkler Schatten: Ich hätte nie hierherkommen dürfen.

Nervös lasse ich meinen Blick über den Bahnsteig schweifen. Noch habe ich sie nicht entdeckt, aber das Türfenster ist zu klein und der Rücken der Frau, die immer wieder energisch den Türhebel nach unten drückt, verdeckt mir die Sicht.

Die Tür geht auf, ich hänge meine Reisetasche um und steige die Stufen hinunter. Ich sehe mich um. Viele Abholer. Doch weit und breit keine Spur von Leonie. Vielleicht hat sie sich ja verändert, seit ich sie vor einem Jahr das letzte Mal gesehen habe, hat ihr dunkles, langes Haar abgeschnitten oder blond gefärbt, trägt keine engen Sachen mehr, sondern lässig weite . . .

Mein Herz stolpert. Einerseits freue ich mich so, sie wiederzusehen, andererseits habe ich wahnsinnige Angst davor. Wird Leonie mich noch genauso umarmen wir früher? Ihre Mails und Briefe haben mich immer wieder aufgebaut. *Sieh nach vorn, Franziska,* haben sie und Maya und Vivian geschrieben, *das Leben geht weiter.*

Plötzlich weiß ich, warum ich außerdem unbedingt hierherkommen musste, worum es hier auch geht: um Freundschaft. War es nicht das, was wirklich zählte? Die Briefe aus Kinding haben mir so viel gegeben, in der Zeit im Gefängnis und in der Klinik. Sie haben mir gezeigt, dass ich nicht alleine war.

Und wenn es nur aus Mitleid war?, meldet sich sofort wieder die zweifelnde Stimme in meinem Kopf. Wenn sie sich nur bei mir gemeldet hatten, weil ich ihnen leidtat? Wie viel hält eine Freundschaft wohl aus? Auch einen Mord? Verzeihen sie mir? Verzeihen sie mir, dass ich einen Freund von ihnen getötet habe?

Leonie hat Angst bekommen, denke ich auf einmal. Bestimmt. Plötzlich ist ihr klar geworden, dass sie unmöglich mit mir auf der Party auftauchen kann. Man wird sie mobben – und das würde noch das Harmloseste sein. Konnte unsere Freundschaft so viel Druck aushalten?

»He, Paula«, höre ich eine Stimme rufen.

Wie hieß er doch gleich? Richtig, Benjamin. Benjamin steht mit seiner Reisetasche und dem Laptop neben mir. Er ist ziemlich hartnäckig – und unerschrocken.

»Soll ich dich vielleicht mit dem Taxi irgendwohin . . .«

»Nein«, falle ich ihm ins Wort. »Ich werde abgeholt. Sie kommt ein bisschen später.« Warum sage ich das? Um mir damit selbst Mut zu machen?

»Okay. Also . . .«

Er geht noch immer nicht. Was will er denn noch? Er lächelt und zuckt ein bisschen verlegen die Schultern. »Wenn du mal einen Artikel von Benjamin Fischer liest, weißt du, dass ich der aus dem Zug bin. *Chiemseer Echo.*« Er muss lachen. »Du weißt schon, die ultimative Lokalzeitung hier, die, ohne deren Nachrichten man hier nicht überleben kann!«

Ein schwaches Lächeln kann ich mir abringen. Früher hätte ich laut mit ihm gelacht und gehofft, dass er mich nach meiner Handynummer fragt. So sage ich nur »Okay«.

Er geht, verschwindet im Gewusel in der Bahnhofsvorhalle und ich werfe wieder einen Blick auf mein Handy. Keine SMS. Bevor ich mir in meiner Fantasie noch länger ausmale, was Leonie dazu bewogen hat, ihre Entscheidung zu ändern, rufe ich sie lieber an.

»Franziska!« Leonie kommt auf mich zugerannt. Ihr Haar ist immer noch lang und schwer und sehr dunkel. Während der letzten sonnigen Wochen hat sie garantiert jeden Tag am See gelegen, so braun, wie ihre Haut ist. Und wie immer sieht ihre Schminke aus, als hätte sie stundenlang vor dem Spiegel gestanden. Sie strahlt übers ganze Gesicht.

Kurz vor mir bleibt sie stehen. Lässt die Schultern fallen, seufzt.

Einen Moment lang stehen wir uns so gegenüber.

Zum ersten Mal nach so langer Zeit spüre ich wieder ein Ziehen im Magen und in der Nasenwurzel. So wie früher, bevor ich weinen musste.

»Mensch, Franziska, du bist so dünn geworden!«, bringt Leonie noch hervor, dann fällt sie mir schluchzend um den Hals.

Und dann, erst ganz langsam und dann unaufhaltsam, drücken sich Tränen aus meinen Augen.

Wir stehen eine Weile so da, uns gegenseitig umarmend und weinend.

»Es tut mir so leid«, bringt Leonie schließlich hervor. »Wie schrecklich muss es für dich . . .«, sie stockt, » . . . dort gewesen sein.«

Sie kann es nicht sagen, das Wort. Auch mir fiel es anfangs schwer: Gefängnis.

»Bitte, bitte, verzeih mir!« Sie schluchzt laut. Hinter ihr dreht sich ein Arbeiter in orangefarbenem Overall nach uns um.

»Wofür?«

Sie sieht mich an, noch immer schluchzend. Und ich muss an unsere Band denken. *The Fling* nannten wir uns. Es ist wie eine Erinnerung an eine andere Zeit. Lichtjahre her.

»*Was* soll ich dir verzeihen?«, frage ich noch mal.

Sie schluckt. »Dass . . . dass ich dich nicht besucht habe.«

»Deine Eltern haben es verboten . . .«, wende ich ein.

»Trotzdem«, sie schüttelt seufzend den Kopf, dann stiehlt sich ein Lächeln in ihre Augen, die noch feucht glitzern. »Wäre ja nicht das erste Mal, das ich was Verbotenes gemacht hätte«, murmelt sie und sieht mich dabei schief grinsend an.

»Mach dir keine Vorwürfe, Leonie. Es ist vorbei.«

Ihr Blick wird weich. »It's over?«

Ich nicke. »It's over.«

> *It's over.*
> *Wir haben's geschafft.*
> *Wir haben's gemacht.*
> *Wir sind manchmal blind.*
> *Es ist die Zeit, die uns zeigt,*
> *wer wir sind.*

Eine Strophe eines Songs unserer Band. Leonie hatte die Musik komponiert und ich den Text geschrieben. Maya spielte Bassgitarre und Vivian Schlagzeug. Wir traten bei Veranstaltungen unserer Schule und dann auch bei ein paar Sportveranstaltungen in der Gegend auf. Die Mädchenband vom Augustinus-Gymnasium in Kinding. *The Fling.*

Leonie tupft sich die Tränen ab, während sie die Melodie unseres Liedes summt und einen Autoschlüssel aus der Tasche zieht. »Fahren wir.«

Irritiert schaue ich sie an. Leonie wird erst in einem halben Jahr achtzehn. Sie ist ein Jahr älter als ich, weil sie einmal eine Klasse wiederholt hat. Trotzdem hat sie den Führerschein schon und darf in Begleitung ihrer Eltern fahren.

»Dein eigenes?«, frage ich, als sie den Schlüsselbund lässig um ihren Zeigefinger schwingt, und spüre wieder den altbekannten Stich in meinem Herz.

»Nein, mein Auto kommt erst nächsten Monat, irgendwas hat mit den Lieferzeiten nicht hingehauen.« Sie kichert.

»Hast du dir eine Speziallackierung bestellt, oder was?«, frage ich.

»Mhmm«, sagt sie und ihre Augen leuchten. »Cabrio. Tahiti Blau mit weißem Verdeck und weißen Ledersitzen!« Ihr Kopf zittert ein bisschen wie immer, wenn sie plötzlich von etwas begeistert ist. »Nicht schlecht, oder?«

»Cool«, sage ich und stelle mir vor, wie Leonie mit wehendem Haar in diesem Auto durch Kinding fährt.

»Zuerst fahr ich damit nach München!«, verkündet sie und bleibt auf dem Parkplatz vor einem silbernen Mercedes SL stehen und öffnet mit einer selbstverständlichen Geste die Türen mit der Fernbedienung. »Du weißt ja, meine Eltern sind nicht da. Dad hat einen Preis in Toronto gekriegt und danach haben sie sich für eine Woche ein Blockhaus an irgendeinem einsamen See dort gemietet.« Sie verdreht die Augen. »Immerhin haben sie dort ein Wasserflugzeug. Mein Dad war schon ganz aufgeregt, weil er mal wieder selbst fliegen darf.«

Als wir letzte Woche telefoniert hatten, hatte sie mir erzählt, dass ihre Eltern verreisen würden und ich deshalb bei ihr übernachten könnte. Zuerst war ich beleidigt, als Leonie mir sagte, dass ihre Eltern nichts von meinem Besuch erfahren sollten. Doch dann war ich sogar froh darüber. So ersparte ich mir wenigstens ihre verächtlichen, abweisenden Blicke und verletzenden Bemerkungen.

Selbst bevor es passiert ist, mochten sie mich nicht. In ihren Augen war ich die Tochter spießiger, langweiliger, ordinärer Tankstellenpächter. Kein Umgang für ihre Leonie und ihre Freundinnen, für die es das Normalste auf der Welt war, reiten und segeln zu gehen oder Golf zu spielen, die in den Ferien zum Sprachkurs nach London oder Paris geschickt wurden und zum Achtzehnten ein Cabrio geschenkt bekamen.

»Aber offiziell darfst du doch gar nicht allein fahren . . .«, sage ich, als ich neben Leonie auf dem Beifahrersitz sitze.

»Nein, natürlich nicht«, sie zwinkert mir zu und dreht die Musik lauter, »aber das kleine Risiko kann ich schon eingehen.«

Ich schnalle mich an, lehne mich zurück und wünsche mir, die Fahrt würde ewig dauern. Aber Kinding liegt nur wenige Kilometer von Prien entfernt. Es ist klein und überschaubar. Jeder kennt jeden oder fast jeden – Geheimnisse lassen sich hier nicht bewahren. *Bleib, wo du bist, oder du wirst es bitter bereuen.* Meine Hand tastet nach dem Papierknäuel in meinem Pulli. Ich bin sicher, dass es schon viele wissen. Dass ich zurückgekommen bin.

5

Es ist seltsam, durch den Ort zu fahren. Da ist die *Bäckerei Huber* mit dem wagenradgroßen Holzofenbrot und den Zwetschgenfiguren im Schaufenster, daneben die *Änderungsschneiderei Maria Paspalis* mit dem weißen Spitzenvorhang, am Platz vor der restaurierten katholischen Kirche das Wirtshaus *Zur neuen Post* im Fachwerkhaus mit den üblichen üppigen Geranien an den Fenstern, schräg gegenüber das *Modehaus Radler,* in dem es seit Jahrzehnten dieselben langweiligen Oma-Sachen gibt, in der Seitenstraße ist der Elektrobetrieb, der mir mal mein Handy repariert hat . . .

Obwohl ich alles wiedererkenne, bleibt es mir dennoch seltsam fremd. Als hätte ich irgendwann einmal einen Film gesehen und würde jetzt den Drehort besichtigen.

Leonie erzählt. Dass sie vor zwei Wochen David abserviert hat, dass Ron und Ike immer noch ziemlich scharf auf sie wären, sie die beiden aber nach wie vor ziemlich blöd und langweilig findet, vor allem sind sie schlechte Segler. Sie haben es doch tatsächlich geschafft zu kentern! Überhaupt sind alle Jungs am Augustinus unterentwickelt. Ach ja, Vivian geht wieder mit Hendrik aus der Parallelklasse, dem Mathe-Ass und Coolsten der Klasse, Maya kann sich wieder mal nicht entscheiden. Diesmal nicht zwischen Til und Zacharias. Til spielt Violine und Zacharias Klavier, der eine ist blond, der andere rothaarig. Unser Coffee Shop bietet nun auch Chai an und endlich gibt es eine neue Bar, in der sie Wasserpfeifen haben. Dorthin kommen sogar Jungs aus München.

XS-Bar heißt sie, die ist ja so viel cooler als das *Kuba*, da geht jetzt sowieso keiner mehr hin.

Unglaublich, wofür man sich so interessiert, wenn man einen normalen Alltag hat. Ob ich vor einem Jahr auch so war? Es fühlt sich so an, als wäre es Ewigkeiten her, dass es mir wichtig war, wo es zwei Cocktails zum Preis von einem gibt. Ich lasse Leonie weiterreden. Ihre Stimme beruhigt mich, die Belanglosigkeit ihrer Neuigkeiten auch.

»Was?« Ein Name hat mich aufhorchen lassen. »Hast du eben von Claude gesprochen?«

Sie räuspert sich. »Ich wollte nicht . . . ich hab in dem Moment gar nicht daran ge. . .«

»Sag schon, was ist mit Claude?« Claude – auch für Fremde unverkennbar der ältere Bruder von Maurice, Anfang zwanzig, in seiner Freizeit Freeclimber – könnte mich bestimmt mit zwei Fingern mühelos erwürgen. Er hat mich nie gemocht. Und ich fürchtete mich immer ein bisschen vor seiner Launenhaftigkeit. Seltsam, wie unterschiedlich Brüder sein können, selbst wenn sie sich äußerlich noch so sehr ähneln.

Leonie holt Luft und sieht kurz zu mir herüber. »Ich wollte dich nicht gleich wieder mit der alten Geschichte . . .«

»Jetzt sag schon!«, schreie ich sie an.

Diese Ausbrüche sind neu. Sie kamen im Gefängnis. Nach Tagen des Schweigens brüllte ich plötzlich los. Dann merkte ich, dass diese Wut auch schon vorher in mir gewesen war, dass ich es nur irgendwie geschafft hatte, sie unter Verschluss zu halten. Mein Großvater soll jähzornig gewesen sein, hat meine Mutter mir anvertraut, nachdem die Gefängnispsychologin mit ihr über meine Wutanfälle gesprochen hatte. Als ob eine genetische Veranlagung mich zur Täterin gemacht hätte. Als ob meine Tat dadurch weniger schlimm wäre.

Die Ampel vor uns schaltet auf Rot. Der vordere Wagen bremst, aber Leonie fährt weiter.

»Leonie!«

Sie würgt den Motor ab. Immerhin stehen wir jetzt.

»Puh!« Leonie streicht sich eine Haarsträhne aus der Stirn und sieht zu mir herüber. Auf ihrer Stirn bilden sich Falten. »Okay«, sagt sie widerstrebend, »ich hab vor zwei Wochen Claude getroffen, zufällig. Er wollte wohl zu seinen Eltern oder so. Und da hat er gefragt, ob ich noch Kontakt zu dir habe. ›Ja‹, hab ich gesagt, ›hin und wieder.‹ – ›Dann sag ihr schöne Grüße und dass ich sie fertigmache, wenn ich ihr begegne.‹«

Und das erzählst du mir erst jetzt?, wollte ich sagen, doch ich bringe kein Wort heraus. Mir ist übel. *Bleib, wo du bist, oder du wirst es bitter bereuen!*

Der Brief. Abgestempelt in München – Claude studiert in München BWL . . .

Claude.

Dessen jüngeren Bruder ich umgebracht habe.

Leonie sieht zu mir herüber. »Tut mir echt leid, aber ich wollte dich nicht beunruhigen. Ehrlich, deine Idee, hier ausgerechnet zur Sommerparty wieder aufzukreuzen, Ziska . . . also . . . Aber, sollen wir zur Polizei, es melden? Ich kann schließlich bezeugen, dass Claude dir gedroht hat. Vielleicht kriegst du Personenschutz oder . . .«

»Was redest du da? Nur weil einer so was gesagt hat? Das ist lächerlich!«, kann ich mir den letzten Kommentar nicht verkneifen.

»Mann, du bist ja ganz schön cool geworden, Ziska!«

Ob sie es anerkennend meint oder ob sie mich einfach nur unvernünftig findet, weiß ich nicht.

»Ich habe mich die ganze Zeit versteckt, Leonie! Aber da hab ich keine Lust mehr drauf. Ich habe keine Angst!« Das stimmt so zwar nicht ganz, aber wenn ich wütend bin, habe ich tatsächlich keine Angst mehr. Eine wichtige Erkenntnis. Wenn ich wütend bin, schrecke ich offensichtlich vor nichts zurück.

»Schon gut, Ziska.« Leonie legt mir beruhigend eine Hand auf den Arm, zieht sie dann aber wieder weg, weil sie blinken muss. »Verstanden. Es ist einfach eine . . . fatale Situation.«

Fatal heißt tödlich. Ich kann ihr nicht widersprechen.

»He, was hältst du von einem Eis?« Leonie fährt in die Bushaltebucht kurz hinter dem *Venezia,* dessen blaue Markise zu Kindings Hauptstraße gehört wie der Chiemsee.

Das Eiskaffee *Venezia* betreibt die Familie von Vivians Exfreund Jonas. Die Familie besitzt eine ganze Kette, das größte Café ist in München auf der Leopoldstraße. Früher – na ja, im letzten Jahr noch – brachte Vivian uns zu den Proben immer Eis mit.

Draußen sind alle Tische besetzt, obwohl auf dem Bürgersteig noch die Pfützen vom letzten Regen stehen.

»Pistazie und Malaga?«, fragt Leonie grinsend.

Ich nicke.

»Immer noch genauso altmodisch«, lacht sie und stellt das Warnblinklicht an.

Als ich aussteige, legt er sich wieder über mich, der dunkle Schatten, und ich höre, wie eine Stimme zu mir sagt: *Pass auf, am besten verschwindest du sofort. Jeder weiß, was du getan hast.*

»Was ist, Ziska?« Leonie dreht sich am Eingang nach mir um.

Ich schlucke, hebe das Kinn, schüttle den imaginären

dunklen Schatten von mir ab, nehme mir vor, die Blicke der Leute zu ignorieren, und gehe geradewegs zwischen den Tischen hindurch zum Eingang.

»Alles in Ordnung?«, fragt Leonie.

Ich nicke und merke, wie ich schwitze, dabei ist es gar nicht so warm. »Fühlt sich schon ein bisschen komisch an. Als würden mich alle anglotzen.«

»Ach, das bildest du dir ein. Dich hat keiner angeguckt. Keiner kennt dich. Das sind sowieso alles Touristen.«

Ich will ihr glauben, aber so ganz funktioniert es noch nicht.

»Jetzt komm schon!«, sagt sie und ich folge ihr.

Den gläsernen Tresen mit den siebenundzwanzig verschiedenen Behältern, alle gefüllt mit cremig buntem Eis, habe ich mir oft vorgestellt, wenn ich nicht einschlafen konnte, weil meine ganze Welt nur aus grauem Beton bestand. Die buntesten Eisbecher hab ich mir in Gedanken zusammengestellt, mit noch bunteren Soßen und riesengroßen schneeweißen, duftigen Sahnehauben obendrauf.

Als ich den Blick von den Eisbehältern hebe, sehe ich, wie sie mich anstarrt. Ihr blondes Haar zu zwei Zöpfen geflochten, den Kragen des hellblauen Polos mit *Venezia*-Schriftzug steif hochgestellt, als wäre er Teil einer Rüstung. Ihre Blicke Speere und der metallene Eisportionierer in ihrer Hand ein fieses mittelalterliches Folterwerkzeug. Sophie Obermann war die Beste in Französisch in meiner Klasse gewesen.

»Sie geht mit Vivians Exfreund«, raunt mir Leonie noch zu und sagt dann fröhlich: »Hi, Sophie! Ich dachte, du jobbst hier nur am Wochenende.«

Sophie zeigt keinerlei Regung, als hätte man ihr den Strom abgestellt.

Das nimmt jetzt auch Leonie wahr, sieht mich an und begreift, dass ich das Objekt des Anstoßes bin, denn außer uns beiden ist niemand hier drinnen.

»Für mich Malaga und Pistazie«, bringe ich tatsächlich ziemlich cool heraus.

Sophies blasses Gesicht verfärbt sich fleckig rosa. Für einen Moment ist es völlig still, obwohl gerade noch auf der Straße ein Hund gebellt hat und ein Motorrad vorbeigefahren ist. Dann rammt sie den Eisportionierer in den Wasserbehälter und stemmt die Arme in die Hüften. »Verpiss dich, Franziska!«, presst sie hervor und ihre Lippen beben dabei. »Verschwinde und wag dich bloß nicht mehr hierher!« Ihr schneidender Blick trifft auch Leonie.

»Reg dich mal ab, Sophie!«, sagt Leonie und rückt so nah zu mir, dass sich unsere Schultern berühren. »Was soll dieser Aufstand hier eigentlich? Kriegst du überhaupt irgendwas mit? Sie haben Franziska aus Mangel an Beweisen freigelassen, schon vergessen?«

Leonies Worte sind sicher nett gemeint, aber ich zucke dennoch zusammen. Das klingt, als wäre ich doch schuldig, nur könnte es mir noch niemand nachweisen. Ist ja auch so – aber hätte Leonie es nicht anders formulieren können?

Sophies Augen werden schmal, als wären sie mit dem Messer in die Haut geschlitzt. »Noch schlimmer. Eine Mörderin, die davongekommen ist!«

»Halt die Klappe!« Mit einem blitzschnellen Griff habe ich sie am Kragen ihres dämlichen Polos gekrallt und hochgezogen, sodass wir uns über der Theke direkt in die Augen sehen.

»Ziska!«, schreit Leonie und hält meinen Arm fest, aber nichts und niemand kann mich gerade bremsen. Meine Kraft ist eine explodierende Bündelung all der Demütigungen in der Untersuchungshaft. Doch ich beherrsche mich und bringe mein Gesicht so nah an Sophies, dass sich unsere Nasen fast berühren. Ihre Augen weiten sich, es macht ihr Angst, mir so nah zu sein, als sei ich ein Vampir, der sie gleich aussaugen wird. Dann sage ich leise und so ruhig ich kann: »Malaga und Pistazie. In der Waffel, kapiert?«

Sie starrt mich hasserfüllt an.

Ich lasse sie los, und ohne mich noch einmal anzusehen, greift sie zu einer großen Waffel, setzt erst eine Malagakugel, dann eine Pistazienkugel hinein und steckt die Waffel in die Leiste mit den Löchern.

Wortlos lege ich die Münzen daneben, nehme mein Eis und sage zu Leonie: »Ich warte draußen.«

Vor dem Eiscafé auf der Straße fängt mein Körper an zu zittern. Als würde ich unter Strom stehen. Ich muss an Katie denken. Einmal hat eine Zimmergenossin sie dumm angemacht, hat sie *Hinkebein* und *Krüppel* genannt. Ohne mit der Wimper zu zucken, hat Katie sich auf sie gestürzt, hat sie mit einer Hand an der Gurgel gegen die Zellenwand gedrückt und gesagt: »Du nennst mich nie wieder so, kapiert?«

Ich muss schlucken. Das Eis schmeckt auf einmal so süß, dass ich das Gefühl habe, es würde meine Speiseröhre verkleben. Panisch schnappe ich nach Luft. Ist das aus mir geworden? Bin ich wie Katie . . .

Ich schrecke zusammen, als ich plötzlich Leonies Stimme neben mir höre.

»Puh! War das wirklich notwendig?« Sie beißt ein Stück ihrer Eiskugel ab und verzieht das Gesicht, als würde sie erst in diesem Moment daran denken, dass das Eis ziemlich kalt war.

»Wäre es dir lieber gewesen, ich hätte nur genickt und wäre ohne Eis abgezogen?«

»Nein, aber . . .«

»Aber was?« Wieder ist da dieser Tonfall in meiner Stimme.

Sie zuckt zurück. »Mann, du warst ja früher auch kein Lämmchen, aber du bist ganz schön aggressiv geworden! War das der Knast?«

»Was wärst du wohl geworden, dadrin?«, fahre ich sie an. »Es waren nur zwei Wochen, aber du kannst dir ja gar nicht vorstellen, wie das ist, eingesperrt zu sein! Sich nicht duschen und die Haare waschen zu können, wann du willst! Keine Musik hören, kein Fernsehen, nicht telefonieren zu dürfen! Stattdessen sitzt du mit irgendwelchen Verbrecherinnen . . .«

»Jetzt mal easy, Ziska, okay?«

Sie hält mein Handgelenk fest und ich merke, dass ich noch immer zittere. Aus Wut, Scham . . . und Verzweiflung.

Langsam lässt sie mich los. »Geht's wieder?«, fragt sie mitfühlend.

Ich nicke.

Sie lächelt und deutet auf mein Eis. »Es schmilzt, wenn man es nicht isst.«

Dafür habe ich Leonie schon immer gemocht. Sie kann total wütend sein und im nächsten Moment wieder lachen.

»Der kleinste Fleck im Auto macht meine Mutter hysterisch«, erklärt sie und so lehnen wir uns an die Motorhaube und genießen unser Eis unter einem freien blauen Himmel, über den der Wind weiße, bauschige Wolken wie Sahnehauben weht. Noch nie hat mir ein Eis so gut geschmeckt.

Ich lasse es nicht mehr zu, dass man mich demütigt. Auch wenn ich etwas Schreckliches getan habe.

Mein Handy klingelt. Meine Mutter, sehe ich. Ich habe ganz vergessen, sie anzurufen, obwohl ich es ihr versprochen hatte.

»Bist du gut angekommen, mein Schatz?«

»Ja. Alles okay. Ich esse gerade mit Leonie Eis.«

»Das ist schön. Franziska, versprich mir, dass du sofort anrufst, wenn irgendetwas ist, ja? Wir kommen und holen dich.«

»Ich kann schon allein mit dem Zug fahren«, sage ich, dabei weiß ich, dass sie es gut meinen.

»Pass auf dich auf. Und melde dich noch mal heute, ja?«

»Ja, klar.« Ich lasse das Handy in meine Jackentasche gleiten. »Meine Mutter«, erkläre ich. »Meine Eltern machen sich schreckliche Sorgen. Sie wollten nicht, dass ich fahre.«

Leonie zuckt die Schultern. »Manche Eltern sind so.«

»Ja!« Ich lächle sogar ein bisschen, obwohl ich ein schlechtes Gewissen habe. Ich wusste, dass sie sich Sorgen machen würden, und bin trotzdem gefahren.

»Sag mal«, sagt Leonie auf einmal und leckt den Rest Eis aus der Waffel, »du kannst dich wirklich nicht daran erinnern, wie es passiert ist?«

»Nein. Mir fehlen fünf oder zehn Minuten in meinem Leben. Die sind einfach weg.«

»Muss gruselig sein.«

»Ja. Ist es«, stimme ich ihr zu und stecke die Waffel in den Mund.

Leonie wirft ihre neben den Bordstein. »Komm, fahren wir.«

Ein paar Minuten später steuert Leonie den Mercedes über den sanft geschwungenen Weg aus gleißend weißem Kies direkt in den Carport.

6

Das Haus von Leonies Eltern besteht aus mehreren ineinander verschachtelten Würfeln aus Glas. Ihr Vater hat es entworfen, klar, er ist ja Architekt. Bambus und exotische Bäume – aus Asien, hat Leonie erklärt – wachsen in einem japanischen Garten mit Holzbrücke und Teich, auf dem rosa blühende Seerosen treiben. Letztes Jahr hat ihr Vater diese japanischen Koikarpfen reingesetzt. Sie sollen tatsächlich fünfunddreißig Jahre alt werden. »Stell dir das mal vor, Ziska«, hatte Leonie gesagt, »gibt es was Ekligeres als greisenhafte Goldfische?« Und dann leise hinzugefügt: »Die sollen total viel kacken!«

»Wie geht's euren Koikarpfen?«, frage ich beim Aussteigen.

»Oh, die sind im Winter eingegangen.« Sie rollt die Augen. »Nadia hat ein paar Chlortabletten reingeschmissen, die wir sonst für unseren Swimmingpool nehmen.«

»Sie hat sie vergiftet?« Wie kann man Fische einfach vergiften? Sie sind doch absolut wehrlos!

»Komm, Ziska, diese Biester waren einfach nur widerlich. Schau, jetzt haben wir kleine, einheimische Goldfische – die nur ganz, ganz wenig Schmutz machen!« Sie lächelt fröhlich.

Ich gehe ein paar Schritte auf den Teich zu und werfe einen Blick hinein. Da schnappt ein kleines Maul gerade nach Luft. Wieso rege ich mich eigentlich so auf? Ich habe keine Fische vergiftet, sondern einen Menschen erschlagen.

»So.« Leonie wirft die Autotür zu. »Oh, Mist!« Sie starrt auf den Autoschlüssel. »Ich hab die Hausschlüssel schon wieder vergessen!«

»Und jetzt?«, frage ich.

»Entweder steigen wir durchs Kellerfenster ein«, sie zwinkert mir zu und ich erinnere mich, dass sie auch letztes Jahr schon immer ein Kellerfenster offen gelassen hat, wenn sie allein war und ausging. »Oder Nadia macht uns auf.«

Nadia ist Leonies jüngere, ziemlich durchgeknallte Schwester. Mit zwölf oder so hat sie ihren ersten Selbstmordversuch unternommen, mit den Schlaftabletten ihrer Mutter. Letztes Jahr hat sie es noch mal versucht, hat Leonie mir in einem ihrer Briefe geschrieben.

Leonie klingelt und die Tür wird automatisch geöffnet. Offenbar hat Nadia keine Lust, uns persönlich zu begrüßen.

Im weiten Vorraum mit den großformatigen abstrakten Bildern strömt mir ein Duft aus Vanille und Zitrone entgegen und ich bekomme schon wieder Lust auf Eis, obwohl ich gerade erst eins gegessen habe. Das Haus von Leonies Eltern hat mich schon immer beeindruckt, weil alles so hell und perfekt und außergewöhnlich ist. Dass man sich umbringen will, wenn man in einem solchen Haus lebt, konnte ich nie begreifen.

Ich folge Leonie über den Marmorboden die Treppe hinauf in den ersten Stock. Die Tür zum Gästezimmer steht auf, Leonie lässt mir den Vortritt. Ich bleibe erschrocken stehen. Auf dem Bett mit der roten Tagesdecke hockt mit gekreuzten Beinen: Nadia. Ganz in Schwarz.

Nicht ihre Anwesenheit erschreckt mich so, sondern ihr Anblick. So blass und dünn hatte ich sie nicht in Erinnerung gehabt.

»Hi!«, sage ich und lasse die Tasche vor den Einbauschrank fallen.

Sie legt den Kopf schief und sieht mich mit diesem sezierenden und doch zugleich teilnahmslosen Blick an. »Die Franziska!«, sagt sie und grinst säuerlich. »Dass du dich noch hierhertraust!«

»Raus hier!«, herrscht Leonie sie an. »Verschwinde in dein Zimmer!«

Ohne das Zucken eines Gesichtsmuskels rutscht Nadia vom Bett, schiebt sich an mir und Leonie vorbei und ist im nächsten Moment verschwunden. Wie ein Phantom, das sich einfach in Luft auflöst.

Leonie seufzt. »Sorry. Sie ist gerade mal wieder unausstehlich.«

Mich wundert es, dass ihre Eltern Nadia so einfach mit Leonie zu Hause lassen und in Urlaub fahren. Aber wahrscheinlich bin ich einfach zu spießig.

Leonie lässt ihren Blick durchs Zimmer schweifen, als suche sie etwas, das Nadia angerichtet oder verändert haben könnte. Offenbar findet sie nichts. Lächelnd sinkt sie aufs Bett und sieht mich an. »Also, jetzt bist du wieder da.«

Ich nicke.

»Und, wie ist es?«, will sie wissen.

Ich setze mich neben sie auf das weiche Bett und zucke die Schultern. »Na ja. Ich würde so gern die Zeit zurückdrehen und alles wäre wie damals. Und . . . ich kann es nicht fassen, dass ich Maurice . . .« Das schreckliche Wort kann ich nicht aussprechen. »Ich hab noch nie jemanden so, so . . .«

»Geliebt?«, spricht Leonie aus, was ich nicht sagen kann.

Ich nicke nur.

Sie seufzt und sieht mich traurig an. »Sag mal . . .«

»Ja?«

»Bist du ganz sicher, dass du übermorgen zur Party gehen willst?«

»Ja, deshalb bin ich doch hergekommen!«

Ob ich will oder nicht, ich MUSS. Ich muss mich erinnern, damit ich endlich wieder mein Leben leben kann. Ich muss einfach aus diesem Gedankenkarussell ausbrechen. Was hat mich so wütend gemacht, dass ich die Nerven verloren habe? Was hat er gesagt? Getan? Ich will aus diesem Nebel herausfinden.

»Aber du hast doch was von Schutzmechanismus der Seele gesagt. Hast du keine Angst, dass irgendwas passieren könnte?«

»Was?«

»Na ja, ein Zusammenbruch oder so.«

Ja, klar, denke ich, zucke aber die Schultern.

Skeptisch betrachtet Leonie mich. »Hast du denn gar keine Angst, wie die anderen reagieren, wenn sie dich wiedersehen?«

»Ein bisschen«, gebe ich zu, »aber das halt ich schon aus.« Etwas in Leonies Gesicht verrät mir, dass es komplizierter ist.

Ich verstehe. Ich trage ein Stigma, unübersehbar groß und deutlich, mitten auf der Stirn.

Leonie lehnt sich zurück, stützt sich mit einer Hand aufs Bett und spielt mit der anderen an ihren Haarsträhnen. Eine alte Gewohnheit.

»Sag mal«, sagt sie schließlich, »warum willst du ausgerechnet bei der Sommerparty dabei sein?«

»Aber das hab ich dir doch gesagt. Ich will mich erinnern, deshalb will ich alles, na ja, so weit es eben irgendwie geht, noch einmal so erleben. Die Party am See, das Bootshaus . . .«

Über Leonies Gesicht fliegt ein Schatten, nur ganz schnell und kurz, dann lächelt sie wieder. »Erinnerungen tun immer weh, glaub mir.«

»Hast du das irgendwo gelesen?«, frage ich, worauf sie wissend lächelt.

»Nein, das ist meine eigene Lebensweisheit.« Ihr Blick wird wieder ernst. »Weißt du, man hat immer zwei Möglichkeiten.«

»Und die wären?«, frage ich.

»Entweder siehst du zurück oder du siehst nach vorn.« Schulterzuckend fügt sie hinzu: »So einfach ist es. Du kannst ewig in der Vergangenheit wühlen, dich vor Selbstmitleid zerfleischen, dich in Schuldgefühlen suhlen. Aber: dabei verpasst du dein Leben.« Sie lächelt. »Sieh nach vorn, vergiss endlich alles, Ziska! Es war eben ein . . . ein Unfall!«

Sie will mich aufmuntern, aber ich will mich nicht aufmuntern lassen. Ich will noch einmal durch die Hölle gehen, bevor ich vielleicht anfangen kann zu vergessen. »Ich werde es versuchen. Später«, erwidere ich.

Sie schnipst mit dem Finger ihre Haarsträhne weg. »Glaub mir, es ist das Beste. Und du bist nicht die Einzige, die . . . die in so was . . . na ja, reingeraten ist. Du hast es ja nicht absichtlich gemacht. Es ist halt passiert. Himmel! Es passiert so vieles!«

»Leonie, ja. Aber . . .«

»Aber was?«

»Aber . . . es ist nicht so leicht, wenn du selbst betroffen bist.«

Sie seufzt. »Wer hat gesagt, dass es leicht ist, Ziska?« Ihr Augenaufschlag ist filmtauglich. Wie früher schon. »Und jetzt komm, Maya und Vivian können es gar nicht abwarten, dich endlich wiederzusehen.« Sie lächelt mich an und erhebt sich vom Bett.

»Leonie?«

Sie dreht sich um und zieht ihre Brauen hoch. »Was?«

»Und ihr steht immer noch zu mir, obwohl . . .« *Obwohl ich Maurice umgebracht habe* – wieso nur kann ich diese Worte noch immer nicht aussprechen? ». . . ich so etwas getan habe?«, bringe ich den Satz schnell zu Ende.

Über ihr Gesicht zieht ein Lächeln. »Ach, Ziska! Weißt du, in so eine Situation kann jeder kommen! Unglückliche Umstände, wer weiß . . .« Sie schüttelt den Kopf und hakt mich unter. »Ziska, es ist Zeit, dass du endlich kapierst, dass du unsere Freundin bist! Egal, was passiert ist. Und jetzt Schluss mit dem Quatsch! Du glaubst gar nicht, wie wir uns alle freuen, dass du die Sache hinter dir hast!«

Ich nicke, Leonie streichelt kurz über meinen Arm und geht dann nach unten. Ich bleibe noch einen Moment im Gästezimmer. Ein warmes Gefühl fließt durch meinen Körper. Ich bin froh, dass ich zurückgekommen bin. Und selbst wenn ich nicht herausfinde, was vor einem Jahr passiert ist, selbst wenn ich es nie schaffen werde, mich an diese dunklen Minuten in meinem Leben zu erinnern – ich habe Freundinnen, die zu mir stehen.

Mir ist warm, ich ziehe meine Jacke und meinen Kapuzenpulli aus. Das Papierknäuel raschelt in der Tasche.

Bleib, wo du bist, oder du wirst es bitter bereuen!

Das gute Gefühl, das ich noch vor einer Sekunde hatte, ist plötzlich wie weggeblasen. Was werde ich bereuen? Und wie bitter?

»He, Franziska Krause«, höre ich Leonie rufen, »du hast Post gekriegt!«

Ich laufe nach unten und sehe Leonie, die stirnrunzelnd ein Briefkuvert in ihren Händen hält und auf die Vorder- und Rückseite dreht. »Wer schreibt dir denn hierher?«

Ein Blick genügt und ich ahne, was das für ein Brief ist. Auf dem weißen Umschlag steht in gedruckten Buchstaben: Franziska Krause. Genau so sah er aus, der andere Brief.

»Da steht kein Absender drauf«, stellt Leonie fest. »Aber abgestempelt ist er hier in Prien.«

Ich schlucke und meine Hände werden feucht.

»Willst du ihn nicht aufmachen?«, fragt Leonie und sieht mich besorgt an.

»Ich weiß sowieso, was drinsteht«, sage ich und befehle meinen Händen, den Umschlag aufzureißen. Der Bogen ist blütenweiß wie der letzte. Auf der Mitte der Seite steht gedruckt:

Letzte Warnung: Fahr heim, sonst passiert etwas Schreckliches!

Leonie sieht mir über die Schulter. »Das ist ja gruselig«, flüstert sie. »Der meint es ernst, was?« Sie schluckt. »Du, Ziska, es tut mir leid. Ich hätte es vielleicht nicht so an die große Glocke hängen sollen, dass du zu Besuch kommst. Aber du weißt ja, hier in Kinding spricht sich . . .«

Wut steigt in mir hoch wie eine züngelnde Flamme. »Und was will er dann tun, wenn ich nicht heimfahre?«

»Na ja«, Leonie seufzt, »Claude wäre es zuzutrauen, dass er dir auflauert und . . . Ach, ich weiß nicht. Immerhin hast du seinen Bruder . . .«

Sie kommt nicht weiter, ich fahre sie an: »Hör auf!«

Leonie ist zurückgewichen und nickt beschwichtigend. »Natürlich, Ziska, ich hab das nur so dahingesagt. Wirklich.«

Ich versuche, meine Wut unter Kontrolle zu bekommen,

und atme tief durch. »Tut mir leid, Leonie«, murmle ich. Warum kann ich den Tatsachen nicht ins Gesicht sehen?

»Schon gut«, sie drückt meinen Arm. »Das alles muss so schlimm für dich gewesen sein.«

Ihr Mitgefühl tröstet mich. »Ja, war es!«, bringe ich noch heraus. Dann verbiete ich mir weiterzureden, sonst müsste ich wahrscheinlich anfangen zu heulen.

»Los jetzt, lass uns gehen. Die anderen warten schon auf dich.« Aufmunternd nickt sie mir zu.

Ich laufe nach oben, hole meine Umhängetasche, und als ich nach unten komme, sitzt Leonie bereits im Auto.

Nachdem ich eingestiegen bin, sieht sie mich besorgt an. »Also, ich will ja wirklich nicht darauf herumreiten, aber findest du nicht, wir sollten zur Polizei gehen?«

»Nein!« Ich schüttle den Kopf und spüre, wie meine Hände schon wieder anfangen zu zittern. »Ich will nichts mehr mit denen zu tun haben. Nie mehr!« Kommissar Winters Gesicht mit seinem fiesen Grinsen taucht plötzlich vor meinen Augen auf.

Leonie hat mein Zittern bemerkt, sagt aber nichts. Dafür bin ich ihr dankbar.

»Fahren wir!«, sage ich und Leonie lässt den Motor anspringen.

Der Wagen gleitet auf die Straße hinaus und ich beruhige mich langsam.

»*Sonst passiert etwas Schreckliches . . . Was? Was soll passieren?*«, fragt Leonie. »Ein Unfall? Ein Mord?«

»Leonie, bitte!«

»Entschuldige«, sie zuckt die Schultern, »aber ich mache mir Sorgen.«

»Denkst du etwa, ich nicht?«, fahre ich sie an.

Ein paar Minuten herrscht Schweigen.

»Und wenn was passiert, das . . .« Leonie bricht ab.

»Was?«, will ich wissen.

»Na ja, wenn etwas passiert, das man dir in die Schuhe schieben kann?«

»Du meinst, jemand will mich . . .«

»Jemand will dich endlich hinter Gittern sehen, ja. Und wenn die Beweise bisher nicht ausgereicht haben, um dich in den Knast zu bringen, dann versucht er es halt auf die andere Tour.«

»Claude?«

»Denk doch mal nach, das wäre doch echte Rache!«

Wäre Claude zu so etwas wirklich in der Lage?

Nervös trommle ich auf den Türgriff, bis Leonie mich mahnend ansieht.

»Tut mir leid«, sage ich und halte meine Hand still.

An der Kreuzung vor dem *Modehaus Radler* schaltet die Ampel auf Rot und Leonie bremst ruckartig.

»Sieh dir diesen Niederreiter an! So ein Proll!« Leonie schüttelt angewidert den Kopf.

Neben uns an der Ampel hält ein offener roter Sportwagen. Der Fahrer zwinkert zu uns herüber. Ich kenne ihn – so wie jeder hier. Franz Niederreiter. Landwirt, Anfang dreißig, Bauer und Besitzer der Wiese unten am See am Bootshaus – und ortsbekannter Kampfhahn. Im Winter ist er Klischee-Skilehrer und im Sommer arbeitet er mit nacktem Oberkörper auf seinem Bauernhof. Das ganze Jahr über ist er braun wie ein knuspriges Grillhähnchen. Seine blonden Haare trägt er zum Pferdeschwanz zusammengebunden und an seinem Handgelenk prangen mindestens zehn Freundschaftsbändchen.

Die Polizei hat ihn nach dem Tod von Maurice auch befragt. Er hatte die Stromkabel für die Lautsprecher und die Beleuchtung von seinem Haus aus gelegt und jemand hatte behauptet, er habe ihn auch auf der Party gesehen. Allerdings hat seine Freundin ausgesagt, er sei ab zehn bei ihr in Prien gewesen.

»Blöder Angeber!«, schimpft Leonie, während Franz Niederreiter immer wieder aufs Gas drückt, um dann bei Grün sofort lospreschen zu können.

Früher habe ich ihn auch verachtet, genauso wie Leonie, Maya und Vivian, die gerne über sein Machogehabe herziehen. Aber jetzt, in diesem Moment, sehe ich ihn plötzlich mit ganz anderen Augen. Wir sind verwandt. Seelenverwandt. Wir sind beide Außenseiter.

Franz Niederreiter hat seinen besten Freund erschlagen. Im Suff. Da waren beide siebzehn. Jähzornig sei er, heißt es. Mehrere Jahre hat er im Gefängnis gesessen.

Als es endlich grün wird und er davonprescht, fühle ich mich schließlich doch erleichtert.

»Mist, ich muss unbedingt noch tanken. Blöd, eigentlich darf ich ja gar nicht fahren, aber wird schon gut gehen«, sagt Leonie auf einmal.

Tanken, auch das noch.

7

Noch immer ragt das grün-gelbe Tankstellenschild hoch über der Straße auf und unser ehemaliges Haus dahinter ist noch genauso grau und hässlich wie vor einem Jahr. Selbst jetzt bei Sonnenschein.

Seltsam, als Leonie an die Zapfsäule fährt, erwarte ich fast, dass mein Dad in seinem blauen, ölverschmierten Overall aus der Werkstatt kommt, die Hände an einem Lumpen abreibt und uns auf seine tapfere Art zulächelt. Was für ein Blödsinn.

Leonie tankt, geht zum Bezahlen nach drinnen, und als sie wieder einsteigt, wirft sie triumphierend ihr Haar über die Schulter und lächelt auf typische Weise. »Dieser Florian ist ein echtes Sahneschnittchen.«

»He, und wie hast du meinen Vater genannt?«, versuche ich es mal auf die lustige Art.

Sie lächelt, dann wird sie ganz plötzlich ernst. »Ziska, es . . .« Sie holt tief Luft. »Ich wollte dir es schon so oft sagen . . . dass es mir leidtut . . . wie ich dich am Anfang behandelt habe. Ich war ziemlich gemein.«

»Stimmt!« Ich nicke und bin ein bisschen gerührt. Ich versuche, die unangenehmen Erinnerungen, die sofort wieder in mir aufsteigen, wegzuschieben.

»Eine richtig gemeine Kuh war ich! Kannst du mir das . . .«, sie schluckt und ihre Augen glänzen, »kannst du mir das verzeihen?«

Ich umarme sie. »Ja«, bringe ich hervor.

Ihr Handy klingelt und wir lassen uns los.

»Maya, was gibt's?« Sie zieht kurz die Nase hoch. »Ja – wir sind unterwegs – ja – nein, kein Problem – okay – bis dann.«

»Kann sie nicht?«, will ich wissen. Hoffe in dem Moment sogar, dass es so ist. Ich weiß nicht, wie ich all diese Emotionen aushalten soll! Ich will nicht die ganze Zeit heulen!

»Doch, aber wir treffen uns bei ihr, nicht bei Vivian. Mayas Mutter musste nach München und Maya soll das Haus hüten. Die Haushälterin hat ihren freien Nachmittag.«

Ich sehe es vor meinem geistigen Auge, das Anwesen der von Klingbergs: das große restaurierte Bauernhaus mit den grünen Holzläden, die ausgedehnten Wiesen, auf denen die beiden Pferde grasen, die großzügige Terrasse mit Blick auf die Berge und den See.

»Ist was?«, fragt Leonie mit einem Seitenblick, gerade als sie in den Kiesweg der Einfahrt einbiegt.

»Ich hab nie wirklich zu euch gehört«, sage ich. »Ich hab es nur nicht einsehen wollen.« Und dann füge ich noch hinzu: »Stimmt's?«

Leonie zögert und für einen Moment scheint es, als wolle sie antworten, dann aber sagt sie doch nichts, sondern parkt den Wagen vor dem rot blühenden Oleanderbusch und dem Porzellanmops. Erst als sie den Schlüssel abzieht, sagt sie: »Weißt du Ziska, du solltest endlich mal damit aufhören, dir ständig leidzutun.«

Ohne eine Antwort abzuwarten, steigt sie aus und wirft die Tür zu.

Sie hat recht. Ich tue mir leid. Nachdenklich steige ich auch aus.

»Ziska! Endlich!« Maya kommt mir mit offenen Armen entgegen. Ihr wallendes blondes Haar fällt ihr perfekt glänzend über die Schultern, und als sie mich an sich drückt, kann ich das teure Shampoo riechen.

»Mein Gott, Ziska, wir hatten solche Angst um dich!« Maya legt den Arm um mich und schiebt mich über die Außentreppe zur Terrasse.

Dort sitzt Vivian im Schatten der uralten Kastanie auf dem Holzgeländer der Terrassenumzäunung, hält einen Kaffeebecher in der Hand und gähnt. Ihr kupferrotes Haar ist noch genauso zerrupft wie früher. Und das Augenbrauenpiercing hat sie auch noch.

Als sie mich sieht, rutscht sie herunter und streckt mir die freie Hand entgegen. »Na, Knacki! Wo hast du deine Eisenkugel gelassen?«

Sie lacht und ich will erst aufbrausen, doch dann merke ich an der Art ihres Lachens, dass sie selbst gemerkt hat, dass der Spruch ziemlich uncool war.

»Vivian!«, sagt da auch schon Leonie, »über so was sollte man keine Witze machen. Es ist nicht gerade lustig im Gefängnis!«

»Tut mir echt leid!«, sagt Vivian sofort. »War ein blöder Witz.«

Dann drückt sie Leonie ihre Kaffeetasse in die Hand und umarmt mich.

Maya kommt, stellt ein Tablett auf den Holztisch, der unter den Blattfächern einer großen Topfpalme steht, und sagt: »Ach, Ziska, es ist so gut, dich wieder hierzuhaben! Du hast uns so gefehlt!«

In ihren Augen stehen Tränen und ich schlucke gegen einen Kloß in meinem Hals an. »Ich hab euch auch vermisst«, bringe ich hervor und setze mich an den Tisch neben Leonie. Statt eines Sonnenschirms schwebt ein Palmblatt aus Holz über uns, gehalten von einem »Sarotti-Mohr«. Ein typisches Werk von Mayas Mutter.

Eine Weile sitzen wir einfach so da, ohne etwas zu sagen. Ich finde die Stimmung irgendwie beklemmend.

Dann fängt Maya an: »Es tut uns so leid, was du durchmachen musstest.«

Vivian sieht vom Tischtuch hoch und nickt. »Da ist man doch völlig ausgeliefert, oder?«

»Ja«, sage ich und es tut mir gut, dass sie mich verstehen.

Vivian holt tief Luft. »Wir haben versucht, dich irgendwie zu entlasten, du weißt schon, wegen Alibi und so. Aber dieser bescheuerte Ritter hat ja gleich gesagt, dass du es zugegeben hast.«

Stimmt. Olaf Ritter, letztes Jahr noch Referendar am Augustinus-Gymnasium, hat mich gefunden. Wie ich mich über den toten Maurice gebeugt und entsetzt gesagt habe: »Ich hab ihn umgebracht.«

»Du weißt, dass wir Freundinnen sind und alles füreinander tun«, sagt Maya nun. »Aber ehrlich gesagt hatten wir Schiss, bei der Polizei zu lügen . . .« Sie wirft ihr engelartiges Haar zurück, fasst es im Nacken zusammen und lässt es wieder los.

Diese Geste ist so typisch für sie, genauso hatte sie es auch schon letztes Jahr immer gemacht, denke ich und beginne, mich ein bisschen heimisch zu fühlen.

». . . das wäre doch ziemlich krass gewesen«, sagt sie schließlich und schaut zu Vivian und Leonie, die nicken.

»Ist schon klar«, sage ich. Sie hatten ausgesagt, dass wir alle betrunken gewesen waren und auch ein paar Pillen genommen hatten. Für die Polizei passte das prima in das Bild, das sie sich von mir gemacht hatten. *Na klar, die ist ja schon mal wegen Alkohol aufgefallen. Hat ihren Vater bestohlen und andere in Gefahr gebracht.* Ich hatte ja nie erzählt, wie es wirklich gewesen war. Die Mutprobe . . .

Jetzt kommt der Kloß wieder hoch, den ich so oft schon runtergeschluckt habe. »Und warum habt ihr der Polizei nicht wenigstens gesagt, wie das damals mit dem Auto und dem Whisky wirklich war? Dann hätten sie mich vielleicht nicht so schnell abgestempelt!«

Sie starren mich an.

Leonie schluckt. »Wir hatten so entsetzliche Angst«, bringt sie leise hervor.

»Ja, Leonie hat recht«, sagt Vivian mit festerer Stimme. »Wir waren . . . wir waren einfach . . . einfach feige.«

Maya und Leonie nicken. »Ja. Vivian hat definitiv recht. Wir waren feige.«

»Ziska«, fährt Vivian fort, »wir wollen uns bei dir entschuldigen.«

»Ja, wir entschuldigen uns!«, sagt Leonie leise und Maya murmelt kleinlaut: »Bitte, entschuldige.«

»Und wir wollen dir damit sagen, dass du noch immer unsere Freundin bist!«, sagt Vivian aufmunternd.

»Vorausgesetzt«, wirft Maya ein, »du willst uns noch als Freundinnen.« Leonie nickt und alle sehen mich erwartungsvoll an.

Die Frage überrascht mich. Plötzlich fragen sie mich, nicht umgekehrt. Plötzlich wollen sie was von mir. Dass ich ihre Entschuldigung annehme.

»Wenn ihr mir versprecht, dass ihr mich nie wieder so hängen lasst.« Ich sehe ihnen fest in die Augen.

»Versprochen!«, antworten sie im Chor. »Versprochen!«

Sie haben es tatsächlich getan.

»Gut«, sage ich und spüre, dass der Kloß weg ist. Rasch wische ich mir eine Träne von der Wange. »Freundinnen für immer.«

Leonie klatscht in die Hände. »Super! Und jetzt hol den Eistee, Maya!«

»Ich hätte nichts gegen 'ne Wasserpfeife . . .«, meint Vivian.

Maya stöhnt. »Die ist kaputt! Ist der blöden Putze gestern runtergefallen! Mum bringt mir heute eine neue mit. Falls sie es nicht vergisst. Ich ruf sie am besten mal an. Bin gleich wieder da.«

Leonie strahlt mich an und schiebt ihren Arm unter meinen Ellbogen. »Ich bin so froh, Ziska, dass alles vorbei ist! Jetzt wird es wieder wie früher.«

Vivian grinst.

Für einen kurzen Augenblick glaube ich das tatsächlich, doch dann weiß ich, dass das eine Illusion ist.

»Nein«, sage ich, »wird es nicht. Es wird niemals wieder so wie früher. Maurice ist tot.«

Vivians Grinsen verschwindet und Leonie nickt traurig.

»Ja, du hast recht. Aber wir sind am Leben und das Leben geht weiter.«

»Ja«, sagt Vivian, »wir leben weiter.« Sie greift über den Tisch nach meiner und nach Leonies Hand und wir halten uns so ein paar Sekunden, bis Maya kommt.

»He, stör ich euch gerade bei 'ner spiritistischen Sitzung? Wackelt der Tisch schon?« Sie rollt die Augen. »Oder sprechen die Verstorbenen aus dem Jenseits mit euch?«

»Wir haben an uns Lebende gedacht, Maya«, sagt Vivian ernst und lässt unsere Hände los. »Dass es weitergeht. Stimmt's Ziska?«

»Ja«, sage ich und Maya nickt verständnisvoll und stellt

das Tablett auf den Tisch. Im Krug mit der goldgelben Flüssigkeit klirren Eiswürfel.

»Du hast genug gelitten«, sagt Vivian und sieht mich an.

»Dann denken wir jetzt an Maurice«, sage ich und alle nicken. Ich muss mich zusammennehmen, um nicht zu heulen.

»So, jetzt gibt's erst mal Spezial-Eistee für alle«, sagt Maya schließlich grinsend und füllt für jeden von uns ein Glas.

Spezial-Eistee war Eistee mit Tequila oder Wodka. Den hatten wir auch letztes Jahr getrunken. Als wir uns bei Maya trafen, bevor uns ihr Bruder auf die Party fuhr.

Nach dem ersten Glas sagt Leonie: »Ziska hat einen Drohbrief gekriegt. Er war in unserer Post.«

»Echt?« Maya und Vivian sehen mich aus großen Augen an.

Leonie nickt. *»Fahr heim, sonst passiert etwas Schreckliches.* Oder so ähnlich, nicht wahr, Ziska?«

»Verdirb uns doch nicht die Stimmung«, sage ich zu Leonie und ärgere mich, dass sie mich wieder an die Tatsachen erinnert.

»Etwas Schreckliches!« Maya verzieht das Gesicht. »Und was soll das sein?«

Leonie zuckt die Schultern. »Das ist es ja gerade. Ich glaube, Ziska soll Angst gemacht werden.«

»Und wenn es derjenige ernst meint?«, wirft Maya ein.

»Moment«, sagt Leonie. »Wir halten doch zusammen.« Sie sieht in die Runde.

Maya nickt und Vivian hebt mit feierlicher Geste das Glas: »Alle für eine und eine für alle!«

Ein warmes Gefühl durchflutet mich. »Danke«, bringe ich heraus und nippe hastig an meinem Eistee. Schon wieder brennen Tränen in meinen Augen. Diese ganze Situation überfordert mich irgendwie, dieses Wechselbad der Gefühle, die ganzen Erinnerungen . . .

»Aber«, meint Maya besorgt, »man sollte so eine Drohung nicht einfach ignorieren. Schließlich ist ja schon – äh – genug passiert.«

Maya hat recht. Es ist genug passiert. Maurice ist tot.

»Ich bin sicher, dass Claude hinter den Briefen steckt«, sagt Leonie. »Dummerweise habe ich letzte Woche unten im Laden bei Pichlers Denise getroffen. Sie hat mich gefragt, ob ich wüsste, wie es Franziska geht. Und da habe ich ihr erzählt, dass Ziska mich besuchen kommt. Und als ich mich umgedreht habe, stand Claude direkt hinter mir in der Kassenschlange«, erzählt sie und wirft mir einen entschuldigenden Blick zu.

»Scheiße!«, sagt Maya und räuspert sich. Dann nimmt sie einen großen Schluck Eistee. »Na ja, man kann ihn ja ein bisschen verstehen«, meint sie schließlich leise und vermeidet es, mich anzusehen.

»War ja immerhin sein Bruder«, sagt Vivian und zerquetscht eine Mücke auf Leonies Arm. »Die wollte gerade stechen!«, erklärt sie Leonie, die angeekelt nach einer Serviette greift. »Aber mal ehrlich: Claude ist doch der Einzige, der davon profitiert hat, dass Maurice tot ist.«

»Was redest du da?«, frage ich.

Die drei sehen sich an. Ich scheine die Einzige zu sein, die keine Ahnung hat.

Vivian fährt sich durchs kurze rote Haar. »Claude schmeißt jetzt den Laden von seinem Alten.«

»Die Baufirma?«

»Ja.«

»Na ja, Daddy führt schon noch Regie, aber Claude ist definitiv sein Nachfolger. Und das nach DEM Skandal von Kinding.«

»Was für ein Skandal?« Ich habe keine Ahnung, wovon sie reden.

»Hast du damals echt nichts mitgekriegt, Ziska? Mensch, auf den Partys unserer Eltern gab es kaum noch ein anderes Gesprächsthema«, meint Vivian.

Klar, auf den Partys ihrer Eltern. Genau deshalb weiß ich von nichts. »Mensch, Vivian, lass dir doch nicht alles aus der Nase ziehen!«, dränge ich.

Vivian blickt in die Runde und räuspert sich. »Claude hat so ungefähr vor einem Jahr einem Typen aus dem Bauamt die Frau ausgespannt! Na ja, hat sich in die Tussi verliebt mit allem Drum und Dran. Das war echt der Megaskandal! Wo doch sein Vater ohne seine Connections zum Bauamt seinen Laden dichtmachen kann. Jedenfalls war es für seine Eltern der Super-GAU. Seine Mutter ist wohl ziemlich ausgerastet. Von wegen, er braucht sich nicht mehr blicken zu lassen und so einen Sohn hat sie nicht zur Welt gebracht! Eine echte Drama-Queen, die Alte! Und sein Vater erst! Klar war, dass Claude auf keinen Fall mehr irgendwas mit der Baufirma zu tun haben sollte. Dabei wollte er ja nach seinem BWL-Studium da einsteigen.«

Vivian grinst und redet weiter. »Maurice hat sich aus der ganzen Diskussion rausgehalten. Hat wohl gedacht, die beruhigen sich schon wieder. Seine Mutter hat meiner Mutter erzählt, dass er einfach nur die Schultern gezuckt und gesagt hat, dass er dafür jetzt keinen Nerv hat.«

»Wann war das?«, frage ich ungläubig.

»Das war einen Tag vor der Party«, antwortet Vivian. »Hat er dir an dem Abend nichts davon erzählt?«

Stumm schüttle ich den Kopf. Panik steigt in mir auf. Oder hat Maurice es mir erzählt und es gibt noch mehr dunkle Löcher in meiner Erinnerung . . .?

»Na ja, auf alle Fälle haben sich die beiden dann noch so richtig gefetzt. Claude ist ein Hitzkopf. Er war auf der Party und hat Maurice zur Rede gestellt. Von wegen Brüder und Loyalität und so. Er soll jedenfalls total wütend gewesen sein. Maurice hat ihn wohl einfach so abserviert.«

»Aber er hat mir nichts erzählt!«, wende ich ein. »Wenn das so ein schlimmer Streit war, warum hat er mir dann gar nichts davon gesagt?«

Leonie betrachtet die Eiswürfel in ihrem leeren Glas, dann sieht sie mich an. »Ziska, Maurice hatte an dem Abend doch nur noch Augen für dich. Meinst du, er hätte Lust gehabt, auf der Party mit seinem Bruder über die Tussi von dem Sesselfurzer aus dem Bauamt zu quatschen?«

»Warum hat mir das denn keiner von euch erzählt?« Meine Hand stößt das Glas vor mir um. Die gelbliche Flüssigkeit ergießt sich über den Tisch und tropft auf meine Beine. »Mist!« Die Eiswürfel liegen wie verirrte Hagelkörner auf dem Tischtuch, das jetzt nicht mehr weiß, sondern hässlich gelblich ist.

»Entschuldigung«, murmle ich und versuche, die Eiswürfel aufzusammeln, was mir nicht gelingt, weil sie mir durch die Finger flutschen.

Die drei sehen mich an, als wäre ich eine Irre. Na ja, wahrscheinlich benehme ich mich auch so. Ich seufze und lass das mit den Eiswürfeln sein. Jetzt nur nicht heulen. Nein, es kommen zum Glück keine Tränen.

»Das mit dem Streit zwischen Claude und Maurice hab ich erst vor ein paar Wochen erfahren«, erklärt Vivian. »Meine

Schwester hat es von ihrer Friseurin und die ist mit der Freundin von diesem Franz Niederreiter befreundet.«

»Nicole Stoll, die mit dem Nagelstudio?«, fragt Leonie.

Vivian nickt. »Genau die. Die Tussi vom Bauamt lässt ihre Krallen nämlich bei 'ner Kollegin von ihr in München schärfen. Die Sache mit Claude ist aber durch. Frauchen ist wieder bei ihrem Herrchen vom Bauamt.«

Maya seufzt. »Ich weiß schon, warum ich mit meinem Friseur nur über Haare rede.«

»Eben. Jeder weiß doch, dass Friseure und Kosmetikerinnen die größten Tratschen sind«, stellt Leonie fest.

Ich greife zu meinem Glas, das Maya wieder aufgefüllt hat, und stürze den Inhalt hinunter. In meinem Kopf dreht sich alles, Gedanken überschlagen sich, ergeben auf einmal neue Zusammenhänge. Dinge fügen sich ineinander – und immer wieder stoße ich dabei auf Claude.

Claude war auf der Sommerparty. Claude und Maurice haben sich »gefetzt« . . . Claude ist sehr stark und kann sehr wütend werden, das hat mir Maurice sogar mal gesagt. Und was, wenn . . . Ich wage kaum weiterzudenken. Was wäre, wenn Claude . . . also, wenn Claude in diesen fünf oder zehn Minuten, die mir in meinem Gedächtnis fehlen, aufgetaucht wäre . . .?

»Aber Claude hat ein Alibi.«

Der Satz von Vivian trifft mich wie ein Schlag in die Magengrube.

Vivian hebt die Augenbrauen und sieht mich ernst an. »Er soll schon um halb elf zu seinen Eltern gegangen sein.«

Sie hat meine Gedanken gelesen. Dass es Claude getan haben könnte – und nicht ich. Es ist lange nach halb elf passiert . . . Wieder eine kleine Hoffnung zerstört. »Ist noch was im Krug?«

»Gut, das Zeug, was?« Leonies Augen glänzen und sie hakt sich wieder bei mir unter und seufzt. »Ach Ziska, sieh nach vorn! Glaub mir, das ist das Einzige, was dich retten kann.«

Ich will etwas sagen, doch die Wörter verirren sich in den kurvigen Gehirnbahnen. Ich trinke einen großen Schluck.

Leonies Gesicht schwebt dicht vor mir. »Alles okay?«

»Klar«, lüge ich, »alles okay. Der Eistee ist super.« Ich halte mein leeres Glas hoch und irgendjemand gießt mir ein.

Ich will mich nicht mehr erinnern. Von wegen, erinnern ist meine einzige Chance! Falsch, Dr. Pohlmann, vollkommen falsch! Meine einzige Chance ist zu vergessen!

Und ganz allmählich erfüllt mich Trost. Das Gefühl steigt in meinem Bauch auf und verteilt sich über mein Blut in meinem ganzen Körper. Lange schon nicht mehr hab ich mich so wohlig warm und aufgehoben gefühlt. Sehr, sehr lange schon nicht mehr. Eigentlich noch nie . . . oder doch, ja, ein Mal in meinem Leben. Ein einziges Mal. Und jemand war dabei.

Ich versuche, das Gesicht ins Dunkel des Vergessens zu verdrängen, aber es gelingt mir nicht. Ganz deutlich lächelt es mich an. Ich erkenne das Grübchen am Kinn und die braune Locke in der Stirn. Ja, ich bin glücklich und fühle mich unsterblich.

Maurice. Das Gesicht gehört Maurice.

Aber dann beginnt das Gesicht zu zerfließen, in der Mitte entsteht ein Wirbel, ein Sog, der alles mit sich in die Tiefe reißt, in einen bodenlosen Abgrund.

8

Vergangenheit

So schlimm hatte ich es mir nicht vorgestellt. Ich war neu im Augustinus-Gymnasium. Jeder ließ mich spüren, dass ich nicht dazugehörte. Die Schüler und Schülerinnen aus den alteingesessenen Familien redeten nicht mit mir, der Fremden aus dem Norden, und diejenigen, die zugezogen waren, auch nicht, weil ihre Eltern mehr Geld verdienten, in größeren Häusern wohnten und teurere Autos fuhren als meine. Überhaupt kam es mir vor, als verdienten all die anderen Eltern spielend Unsummen von Geld, um es anschließend großzügig auszugeben, während meine Eltern jeden Cent zweimal umdrehten und die Arbeit eine einzige Plackerei war.

Meine Eltern hatten die Tankstelle am Ortsausgang gegenüber der Bushaltestelle gepachtet. Eine grün-gelbe BP mit sechs Zapfsäulen, einer bescheidenen Halle für Reparaturen und Reifenwechsel und einer Autowaschanlage. Nicht so eine, in die man schmutzig reinfährt und sauber wieder rauskommt, ohne aussteigen zu müssen. Nein, eine, in der man sein Auto parken und dann wieder hinausgehen muss.

Meine Mutter und mein Vater schufteten von sechs Uhr morgens bis zehn Uhr abends, an Freitagen und Samstagen sogar bis ein Uhr nachts. Wir fuhren nicht in Urlaub, denn da hätten meine Eltern ja eine Vertretung bezahlen müssen. Wir wohnten direkt bei der Tankstelle, in einem grauen, von den Abgasen der Autos geschwärzten Kasten, der wohl irgendwann vor fünfzig oder auch vor tausend Jahren gebaut worden war. Das Schindeldach verlief steil zum Giebel und an der Vorderfront waren zwei kleine, eng beieinanderliegende Fenster und eine hohe, schmale Tür. So sah das Haus von vorn aus wie ein verkniffenes Gesicht. Es war das hässlichste Haus in ganz Kinding.

Warum wir ausgerechnet nach Kinding ziehen mussten, einem begehrten und teuren Wohnort am Chiemsee, lag einzig und allein daran, dass die Pacht günstig und die Autos, die dort tankten, groß und durstig waren. Ich weiß, dass mein Vater eigentlich von einer supermodernen Autobahntankstelle träumte, an deren Zapfsäulen immer Autos Schlange standen und in dessen Cafeteria Berge von Croissants, belegten Brötchen, Eis und Zeitungen verkauft wurden.

An unserer Tankstelle gab es das zwar auch alles, aber in sehr bescheidenen Mengen. »Wir gewöhnen uns schon hier ein«, sagte mein Dad am ersten Abend in unserem Haus, in dem es nach Moder roch, und meine Mutter nickte. Aber ich hatte das Gefühl, dass sie es eigentlich zu sich selbst sagten, um sich Mut zu machen.

Die ersten beiden Wochen waren wir alle drei neben unserem normalen Alltag mit der Umgestaltung des Hauses beschäftigt. Alte Tapeten und Teppiche rausreißen, gründlich putzen, Wände streichen, neuen Teppich verlegen. Wir richteten uns in unserem neuen Leben ein, in der Hoffnung, dass alles schon werden würde. Mittlerweile war das Haus eigentlich ganz schön geworden – innen zumindest. Aber wenn ich morgens mit dem Fahrrad zur Schule fuhr und an all den schicken Häusern und großen Villen vorbeikam, versetzte es meinem Herz immer einen Stich. Meine Eltern und ich würden hier nie dazugehören.

Nach drei Wochen hatte ich immer noch niemanden gefunden, der mich näher kennenlernen wollte. Ich saß neben zwei Mädchen, die ständig miteinander tuschelten und mich keines Blickes würdigten. Überhaupt schien mich keiner wahrzunehmen. Ich war einfach Luft. Um Maurice machte ich einen Bogen, denn ich wollte mich nicht noch mehr frustrieren lassen – sicherlich würde er mich genauso behandeln wie alle anderen.

Jeden Tag hasste ich mein Leben und meine Eltern mehr. Alles war so klein und eng und spießig, egal, was wir taten, ob wir im Baumarkt Teppiche und Tapeten oder Möbel aussuchten, es ging immer nur um Cents und Sonderangebote. Und nicht um das, was einem wirklich gefiel.

Eines allerdings gab es, was mich glücklich machte und die öde Welt um mich herum vergessen ließ. Und das war die Musik.

In Hanau, wo wir vorher gewohnt haben, hatte ich mit vier Mitschülern eine Band gegründet. Wir probierten ganz verschiedene Richtungen, auch klassischen und Free Jazz. Nils war ein leidenschaftlicher Musiker und spielte verdammt gut Klavier. »Du singst echt ziemlich cool«, hatte er einmal bewundernd gesagt und ich war rot geworden. Ich hatte nie Unterricht gehabt und meine Eltern sind wirklich unmusikalisch. Keine Ahnung, wer mir dieses Talent in die Wiege gelegt hat.

Wenn ich sang, wurde ich jemand anderes, dann war ich nicht mehr die Franziska Krause, die mittelmäßig in der Schule war, mittelgroß, braune Haare und auch sonst einfach nur Mittelmaß. Nein, da wurde ich irgendwie zu ... zu einer Königin, ja. Einer Königin eines wunderschönen Landes, in dem nur glückliche Menschen lebten. Das hab ich aber nie jemandem anvertraut. Vielleicht könnte ich ja auch mal mit Musik Geld verdienen, viel Geld, und dann würde ich mich nur mit Schönem umgeben. Schönem und Teurem. Davon träumte ich, wenn ich mich richtig schlecht fühlte.

Auch das Augustinus-Gymnasium hatte eine Band, wie ich bald erfuhr. Eine Mädchenband, die nicht nur Coversongs, sondern auch eigene Lieder spielte. Die Sängerin, Jasmin, war von ihren Eltern ins Internat nach Salzburg geschickt worden und die Band brauchte jemand Neuen. Der Gedanke, wieder Musik machen zu können, ließ mich nicht los. Und außerdem war das die perfekte Gelegenheit, endlich Freunde zu finden. Allerdings erhielt meine Vorfreude einen gewaltigen Dämpfer, als ich erfuhr, wer die restlichen Bandmitglieder waren.

Es waren ausgerechnet die drei arrogantesten Mädchen meiner Jahrgangsstufe (sie waren noch dazu in meiner Klasse!), um die sich die Jungs nur so scharten und die mit kaum einem anderen Mädchen redeten. Sie probten immer freitags nachmittags im Musiksaal der Schule. Der Gedanke daran, dort einfach vorbeizugehen und zu fragen, ob ich in der Band mitmachen könnte, ließ mich vor Freude nicht gerade jubeln.

Es hieß, sie waren so was wie eine eingeschworene Gemeinschaft.

Ja, und sie führten einen völlig anderen Lifestyle als ich – falls man meinen überhaupt als »Style« bezeichnen konnte.

Aber um zu verstehen, weshalb ich mich in ihrer Anwesenheit wie ein Mauerblümchen fühlte, sollte man noch Folgendes über sie wissen.

Maya von Klingberg wohnt mit ihren Eltern in einem großen Landhaus mit Wald und Wiese, sie besitzen Pferde, zwei Labradors und mehrere Autos. Wie im Film. Ihr Vater ist ein hohes Tier bei einer Münchner Versicherung und ständig unterwegs. Ihre Mutter beschäftigt sich damit, alte Möbel aufzukaufen oder aus Sperrholz Kleiderständer und Figuren zu sägen und sie zu bemalen. Sie verkauft sie an mehrere Einrichtungsläden in Rosenheim und München. Offenbar gab es genügend Leute, denen eine dicke Kreolin mit buntem Kleid und Turban als Kleiderständer gefiel. Oder ein farbiger Kellner, der mit weißen Handschuhen einen Aschenbecher hält. Mayas Bruder studiert in New York an der Filmakademie und kennt angeblich schon alle wichtigen Leute der Branche.

Leonie Anders' Vater ist ein bekannter und erfolgreicher Architekt. Sie bewohnen das moderne Glashaus mit japanischem Garten am Waldrand und fliegen übers Wochenende mal schnell in ihre Wohnung nach Barcelona oder so.

Und dann war da noch Vivian Faber, deren Eltern mit einem Schraubenunternehmen stinkreich geworden sind. Die beiden älteren Geschwister sind bereits in die Firma eingestiegen. Vivian würde beruflich tun und lassen können, was sie wollte – und dabei war es völlig egal, was es kostete.

Also, alle waren irgendwas Besonderes.

Nur ich nicht. Ich war bloß vermessen – und größenwahnsinnig.

Eigentlich hatte ich keinerlei Hoffnung auf Freundschaft oder dass die drei sich in irgendeiner Art für mich interessieren würden. Aber vielleicht könnte ich ja wenigstens in ihrer Band mitmachen – schließlich war ich eine ganz passable Sängerin.

Ich ging also am darauffolgenden Freitag nicht nach Hause, sondern drückte mich im Schulgebäude herum, stieg um halb vier die Treppen zum Musiksaal unter dem Dach hinauf und lauschte an der Tür. Sie hatten schon angefangen. Die Musik gefiel mir. Eine Mischung aus Rap und Soul und Pop.

Plötzlich hörte ich Schritte hinter mir auf der Treppe. Zu spät, ich konnte mich nirgendwo verstecken.

»He, bist du von der Konkurrenz?«

Es war Til, wie ich dann erfuhr, aus der Dreizehnten. Er war der Tontechniker.

»Nee, ich hab nur was vergessen . . . dadrin«, stammelte ich. Plötzlich hatte ich den Mut verloren. Sie würden mich niemals mitmachen lassen! »Ich wollte nicht stören.«

Er grinste und sein abgebrochener Schneidezahn fiel mir auf. Er war nett, dachte ich wenigstens in dem Moment.

Ohne mich zu fragen, schob er mich in den Raum.

Die drei sahen auf: Maya von Klingberg mit der Bassgitarre, Vivian Faber hinter dem Schlagzeug und Leonie Anders an der Leadgitarre. Obwohl ich seit zwei Wochen jeden Tag mit ihnen im selben Klassenzimmer saß, hatte mich keine von ihnen bisher auch nur angesehen. Doch jetzt waren ihre Augen einzig auf mich gerichtet.

Ich wurde knallrot und brachte noch nicht mal ein »Hi« heraus.

»Hier will eine vorsingen«, sagte Til und das haute mich um. Er wusste doch gar nichts über mich! Gerade noch hatte ich ihn so nett gefunden und jetzt wollte er mich vor allen bloßstellen. Sein amüsiertes Grinsen machte mich ziemlich wütend.

»Tatsächlich?« Maya hob die Augenbrauen und strich sich eine Strähne ihres gelockten blonden Haares aus ihrem barocken Gesicht.

»Wir brauchen zwar niemanden«, sagte nun Leonie, die irgendeine rote Designerlederjacke trug, »aber vielleicht mal in . . . in einem Jahr oder so.«

Das stimmt doch gar nicht!, wollte ich schon sagen, aber

ich hielt mich gerade noch zurück. Okay. Wenn sie mit falschen Karten spielten, würde ich es genauso machen.

»Ich wollte auch gar nicht«, sagte ich, »wirklich, ich, ich ... ich kann doch gar nicht singen!«

Ich hatte sie richtig eingeschätzt. Jetzt bekamen sie richtig Spaß an der Sache.

»Das kann schon sein, aber wir wollen es hören!«, sagte Vivian und grinste.

»Aber ...«, stotterte ich.

»Aber was?« Maya sah mich mit aufgerissenen Augen an, wie ein unschuldiger, kleiner Hund.

In dem Moment sagte eine Stimme in mir, ich sollte mich einfach umdrehen und gehen, weil ich mit diesen Zicken nichts zu tun haben wollte. Aber vielleicht war es mein Stolz oder auch meine Liebe zur Musik, wahrscheinlich war es beides zusammen, das mich bleiben und sagen ließ: »Okay, aber dann lasst ihr mich gehen, ja?«

Da grinsten sie alle und nickten.

Ich sang ohne Begleitung ein Stück von Aretha Franklin.

Sie starrten mich an und ich sah die Mischung aus Wut, Bewunderung und Neid in ihren Augen.

Niemand sagte etwas, bis ich mich räusperte. »Also, wenn ihr dann mal nächstes Jahr jemanden braucht ...«

Ich brachte tatsächlich noch ein freundliches Nicken zustande und lief dann in Richtung Tür.

»Seid ihr denn total bescheuert oder was?«, donnerte Tils Stimme durch den Raum. »Da lasst ihr die beste Sängerin, die ihr euch jemals erträumen könnt, einfach so hier rausspazieren?«

Ich blieb stehen, drei, vier Schritte von der Tür entfernt. Wartete. Was würden sie tun? Die Schultern zucken? Ihm sagen, dass er sich da raushalten soll?

Schon wollte ich weitergehen, als Mayas Stimme ertönte: »Warte!« Ich drehte mich um, sah sie an.

»Eventuell könnten wir jemanden brauchen. Vorübergehend.«

»Wie schön, dass du Anschluss gefunden hast«, sagte meine Mutter an diesem Abend und wendete die Bratkartoffeln in der Pfanne. Die Frikadellen brutzelten auf der anderen Herdplatte.

So was gab es bei Maya und Leonie und Vivian bestimmt nicht zu essen. Ihre Mütter waren alle hollywoodschlank und gingen regelmäßig ins Fitnessstudio. Das hatte ich bereits beobachtet, wenn sie ihre Töchter zur Schule brachten, trugen sie alle schon ihr Sport-Outfit.

Ich betrachtete meine Mutter, wie sie in ihren H&M-Jeans und dem weiten T-Shirt vor dem Herd stand, eine karierte Schürze umgebunden, den Kochlöffel in der Hand. Ungeschminkt, das Haar mit den grauen Strähnen irgendwie nach hinten gebunden. Um den Bauch ein bisschen füllig. All das war mir früher nie aufgefallen. Ich fand immer, dass meine Mutter ziemlich jugendlich und sympathisch rüberkam. Doch jetzt fand ich sie alt und vernachlässigt. Ich hasste sie dafür. Und ich hasste mich dafür, dass ich sie so sah.

»Ich passe aber nicht zu ihnen«, sagte ich.

»Wieso nicht? Ihr macht zusammen Musik, was soll da noch mehr passen?«

Sie verstand es nicht – oder wollte es nicht verstehen. »Die tragen keine Billigklamotten! Sondern Dolce und Hilfiger und all das Zeug!«

Meine Mutter leckte den Finger ab, mit dem sie gerade eine Bratkartoffel probiert hatte. »Aber Liebling, davon hängt doch nicht dein Glück ab!«

Doch!, wollte ich sagen, aber das würde sie nicht verstehen.

Sie sah mir ernst in die Augen. Gleich würde sie mir eine Lebensweisheit offenbaren. Richtig!

»Franziska, wenn es echte Freundinnen sind, dann ist es ihnen egal, was du trägst.«

Da konnte ich mich nicht mehr zurückhalten!

»Nein! Es ist nicht egal!«, rief ich. »Meine Sachen sind scheiße!« Dabei rupfte ich an meiner karierten Bluse rum, als wollte ich sie zerreißen. »Mach doch mal die Augen auf!« Ich packte den Plastikstuhl vom Baumarkt, *vier Stück für nur fünfunddreißig Euro!,* und schleuderte ihn gegen die Wand mit der »günstigen« Tapete. »Bei uns ist alles nur billig und hässlich! Sie wohnen in tollen Häusern, gehen segeln und reiten . . . Sie fahren in Urlaub und ihre Mütter gehen ins Fitnessstudio und tragen coole Klamotten!« Ich starrte auf das T-Shirt meiner Mutter und fand es UNMÖGLICH. »Warum . . . warum habt ihr es nur zu dieser blöden Tankstelle gebracht!«, schrie ich und wusste im selben Moment, wie gemein das war.

Meine Mutter war blass geworden und ihre Lippen ganz schmal. Ich dachte, sie würde die Bratkartoffeln einfach gegen die Wand klatschen. Doch sie drehte sich nur um, machte die Herdplatten aus, gab zwei Frikadellen und Bratkartoffeln auf einen Teller und stellte ihn auf den Tisch.

»Wenn du mehr willst, nimm dir, lass aber Papa noch was übrig«, sagte sie tonlos, band sich die Schürze ab und ging einfach aus der Küche. Ich hörte sie, wie sie die Treppen zum Schlafzimmer hinaufstieg.

Vor mir dampfte das Essen, auf das ich mich gefreut hatte. Was hatte ich nur gesagt? Ohne etwas anzurühren, ging ich in mein Zimmer, legte mich aufs Bett und starrte ins Leere.

Irgendwann hörte ich meinen Dad nach Hause kommen. Ich stülpte mir das Kissen über den Kopf, ich wollte kein Wort von dem hören, was meine Mutter ihm erzählen würde.

Am nächsten Morgen erwartete ich zum Frühstück so was wie: »Dein Vater und ich haben uns überlegt, dass es besser ist, wenn du auf eine andere Schule gehst.«

Aber da kam nichts. Sie waren nur ein bisschen niedergeschlagener als sonst. Vielleicht hätte ich mich entschuldigt, wenn sie die Sprache darauf gebracht hätten. Haben sie aber nicht. Und so wurde über das ganze Thema einfach nicht mehr gesprochen.

Am nächsten Mittwoch war es so weit. Ich sollte sie im Coffeeshop, ihrem »Meetingpoint«, treffen, wo sie mir mitteilen würden, ob ich bei den *Flings* aufgenommen wäre.

Eigentlich zweifelte ich nicht daran, denn sie brauchten definitiv eine Sängerin, aber sie hatten seit Montag nicht mit mir gesprochen und tuschelten nur albern miteinander, wenn sie mich sahen.

Sie waren vor mir da. Lagerten in der Lounge-Ecke auf der kaffeebraunen Couch, Leonie saß in einem Sessel. Ich setzte mich auf einen Lederhocker.

»Und?«, fragte ich, so cool ich konnte. »Entschieden?«

»So einfach ist das nicht«, sagte Vivian nach einer Pause und saugte durch ihren gebogenen Trinkhalm den Caffè Latte an, dass es gurgelte. Die beiden anderen nickten und musterten mich.

Obwohl Vivians Eltern ein bekanntes Schraubenunternehmen und ziemlich viel Kohle hatten, lief sie immer ein bisschen schlampig herum. Sie schnitt sich selbst das kupferrote Haar mit vielen Ecken und Kanten, dass sich die

Leute in Kinding und Prien nach ihr umdrehten und den Kopf schüttelten. Sie kaufte Secondhandklamotten in München und kombinierte sie mit D&G-Sachen. An ihrem Handgelenk klackerte eine Rolex. Sie hat mir irgendwann später einmal gezeigt, dass sie echt ist. »Du musst dir den Verschluss anschauen. Daran erkennst du die billigen Fälschungen.«

Jetzt warf sie einen Blick darauf, als habe sie für dieses Gespräch nur eine kurze Zeit eingeplant. »Deine Stimme ist zwar ganz passabel . . .«, redete Vivian weiter und ich spürte, wie Wut in mir aufstieg. »Aber?«, funkelte ich sie an, was sie allerdings nicht sonderlich zu beeindrucken schien.

»Aber – das reicht nicht ganz. Wir sind ja nicht einfach nur eine Band«, sagte Vivian und hob die gepiercte Augenbraue.

»Wir sind ein Klub«, erklärte Leonie und strich sich eine dunkelbraune Strähne aus der Stirn.

»Ein exklusiver Klub«, fügte Maya lächelnd hinzu.

»Und wir nehmen nicht jeden auf.« Vivian.

»Natürlich nicht.« Leonie.

»Du musst also beweisen . . .« Maya.

». . . dass du würdig bist, zu uns zu gehören«, beendete Vivian den Satz.

Fragend sah ich alle drei der Reihe nach an. Wie sie mich musterten! Ich schluckte. »Also, was wollt ihr?«, fragte ich und mein Herz begann, gegen meine Rippen zu hämmern. Ich wollte unbedingt wieder Musik machen, ich hatte wahnsinnige Lust darauf, endlich wieder singen zu können. In meinem Kopf hörte ich die Musik, die sie letzten Freitag im Proberaum gespielt hatten. Ich wollte unbedingt – doch was würde ich für einen Preis dafür bezahlen müssen?

Sie sahen sich an, dann grinsten sie und Vivian nahm den

angekauten Strohhalm aus dem Mund und sagte: »Was hältst du davon, wenn du uns ein paar Flaschen Whisky besorgst und mit uns heute Nacht zum See fährst?«

Ich war perplex. Mit so etwas Abgedrehtem hatte ich nicht gerechnet. »Wie soll ich denn Whisky besorgen?«, fragte ich. »Meine Eltern trinken so was nicht.« Wir waren alle fünfzehn, bis auf Leonie, und kein Laden würde uns Hochprozentiges verkaufen.

Da sahen mich alle drei mit großen Augen an und Vivian sagte lässig: »Ihr habt doch eine Tankstelle mit Shop. Oben, hinter der Kasse, steht eine super Auswahl, wenn ich mich recht erinnere!«

»Ihr spinnt ja, ich kann doch nicht meine eigenen Eltern beklauen!« Meinen Eltern gegenüber war ich immer ziemlich ehrlich gewesen, jedenfalls habe ich sie nie belogen, wenn es um wichtige Dinge ging. Und bestohlen hatte ich sie erst recht noch nicht. Abgesehen davon, dass Klauen für mich sowieso ein Tabu war.

»He, stell dich nicht so an! Wir verlangen ja nicht, dass du uns 'ne Jéroboam Champagner kaufst!«, stöhnte Vivian.

»Jéro. . . wie?«, brachte ich heraus.

»Oder 'ne Nebukadnezar«, meinte Leonie kichernd.

»Nebukad. . .« Ich war keine Leuchte in Geschichte, aber an diesen Namen erinnerte ich mich. König von Babylon. Aber was hatte er mit mir zu tun? Und mit dem Whisky?

Die drei grinsten sich an. Scheinbar wussten alle, was gemeint war, bloß ich nicht.

Maya gähnte. »Also, was ist jetzt?«

»Könnt ihr euch nicht was anderes ausdenken? Etwas, das nichts mit meinen Eltern zu tun hat?«, versuchte ich es.

Niemand antwortete mir.

»Ich könnte . . . irgendwo öffentlich singen oder . . .« Mir gingen die Ideen aus, bevor ich welche hatte, also sagte ich: »Das ist doch echter Kinderkram, so 'ne Mutprobe!«

Vivian zuckte die Schultern und Leonie und Maya seufzten. »Tja, das ist ziemlich uncool von dir, Franziska«, sagte Vivian dann, ließ sich in die Polster zurückfallen, raufte ihr rotes Haar und wendete sich an die anderen beiden. »Findet ihr nicht?« Die Angesprochenen nickten und sahen gelangweilt weg.

»Ihr wollt, dass ich meine Eltern bestehle«, sagte ich in der Hoffnung, dass sie nun lachen und sagen würden, das sei alles nur Spaß gewesen und klar könnte ich zu ihnen gehören und in der Band mitmachen.

Doch Vivian verzog schmerzlich das Gesicht, als hätte sie Zahnweh. »Ich glaube, wir lassen das mit Franziska Krause, meint ihr nicht? Wir können auch Instrumentalstücke spielen, bis wir eine andere Sängerin gefunden haben.«

»Eine, die besser zu uns passt«, fügte Maya hinzu, worauf die anderen beiden nickten und Leonie ihr Portemonnaie aus der Tasche kramte.

»Halt, wartet!«, sagte ich.

»Ja?«, sagte Vivian gedehnt.

»Also mal angenommen, ich mache es.«

»Ja?«

»Dann gehen wir an den See und trinken das Zeug, oder was?«, fragte ich.

Wieder grinsten sie.

»Du fährst uns hin«, erklärte Maya und in ihrer Stimme schwang Triumph mit, als hätte sie gerade verkündet, dass ich die glückliche Gewinnerin des Hauptpreises bin.

»Aber auf mein Fahrrad passt nur . . .«

»Doch nicht mit deinem Fahrrad, Honey!« Maya lachte und die anderen stimmten ein.

Ich kam mir schrecklich blöd vor und ich war ganz nah dran, einfach aufzustehen und zu gehen. Warum musste ich ausgerechnet zu ihnen gehören wollen? Zu ihnen, deren Eltern viel mehr Geld hatten als meine, die Klamotten trugen, die ich mir nicht leisten konnte, die zum Achtzehnten ein nagelneues Auto bekämen und ohne Stipendium würden studieren können.

Leonies Hand lag plötzlich auf meiner. »Eine Sängerin, die in unserer Band singt, sollte cool sein, Ziska. Du sollst doch nur ein paar Flaschen organisieren und dann steigen wir in den Wagen deines Dads und du fährst uns zum See.« Sie lächelte. »Ganz easy.«

Vivian beugte sich vor und sagte ebenfalls lächelnd: »Dann fährst du uns zurück und legst dich wieder in dein Bettchen. Dein Daddy wird überhaupt nichts merken. Du kannst doch ein bisschen fahren, oder?«

Klar konnte ich fahren. Meine Mutter hatte schon ein paarmal mit mir auf einem abgelegenen Parkplatz eines geschlossenen Supermarkts geübt. Die einfachen, aber grundlegenden Dinge konnte ich, so was wie Anfahren, ohne den Motor abzuwürgen, und Kurvenfahren. Rückwärts klappte es noch nicht so und Einparken gehörte auch nicht zu meinen Stärken. Aber sie konnten doch nicht ernsthaft von mir verlangen, dass ich fünf Kilometer über die Landstraße zum See fuhr! »Und wenn uns die Polizei erwischt?«

»Nachts, um halb zwei?« Leonie schüttelte den Kopf. »Auf der Strecke ist niemand unterwegs. Da gibt's doch keine Kneipe weit und breit.«

Ich stellte mir vor, wie es wäre, mit gestohlenem Whisky

und den dreien im Auto meines Vaters durch die Nacht zu stottern. »Könnt ihr euch nicht was anderes ausdenken?«, stöhnte ich, als mir bei dem Gedanken ganz schlecht wurde.

»Nee«, sagte Vivian knapp und warf einen Blick auf ihre Rolex. »Entweder machst du's oder du lässt es bleiben. Ich muss jetzt übrigens los.« Sie stand auf.

»Halt, warte! Ich mach's!«, schoss es aus mir heraus, bevor ich darüber nachdenken konnte.

Sie nickte beiläufig, als wäre es ihr gar nicht mehr wichtig. »Heute Nacht um halb zwei. Wir warten gegenüber der Tankstelle auf dich.«

Ich schluckte. »Okay.« Ich sah ihnen mit einem mulmigen Gefühl im Magen hinterher, wie sie kichernd zum Ausgang gingen.

Der Abend dehnte sich endlos. Ständig sah ich auf mein Handy und dachte, die Uhr sei kaputt, weil die Minuten so langsam vergingen.

Wir aßen nie zusammen, weil immer entweder mein Vater oder meine Mutter in der Tankstelle sein musste. Angestellte hatten wir nicht. An diesem Abend aß ich mit meiner Mutter, das heißt, ich stocherte in meinen Spaghetti herum und dachte dabei über Auswege aus dieser blöden Mutprobe nach. Sollte ich Krankheit vorschützen? Einen Unfall vielleicht oder eine Familienangelegenheit? Mein Vater musste mit einem Herzanfall ins Krankenhaus? Meine Oma in Hanau ist plötzlich gestorben und ich musste meine Eltern trösten und ... aber das alles war lächerlich, keine der drei würde mir das glauben.

»Sind dir meine Spaghetti jetzt auch nicht mehr gut genug?«, kam es auf einmal von meiner Mutter.

»So ein Quatsch!«, brauste ich auf. Wir hatten die letzten Tage nur das Nötigste miteinander gesprochen. Sie versuchte die ganze Zeit, so zu tun, als ob es diesen Bratkartoffel-Frikadellen-Zusammenstoß nie gegeben hätte, doch es gelang ihr nicht. Sie war mir gegenüber unsicher und trug seitdem nur noch ihre besseren T-Shirts. Doch jetzt konnte sie sich nicht mehr zurückhalten.

»Na, so abwegig ist das ja nicht. Warum isst du dann nichts?«

»Mir ist nicht gut.«

Sofort sah sie mich mit diesem besorgten Mutter-Blick an. »Bist du krank?«

Ja!, hätte ich am liebsten gesagt und mich gleich ins Bett gelegt, um morgen nicht zur Schule gehen zu müssen. Aber ich schüttelte den Kopf. »Hab nur keinen Hunger.«

»Aber du hast heute Mittag schon kaum was gegessen.«

»Ich war im Coffeeshop.« Das wollte ich ihr eigentlich nicht sagen, aber nun war es doch heraus. Aber na und? Sie wusste ja nicht, mit wem und weshalb.

»Ach, mit deinen neuen Freundinnen?« Von wegen, sie weiß nicht, mit wem.

»Hä?« Ich stellte mich dumm.

»Na, Schätzchen, du hast dich doch bestimmt nicht allein ins Café gesetzt. Wie heißen sie noch? Maya, Vivian und . . . Leonie? Stimmt's?« Sie lächelte stolz, dass sie sich die Namen gemerkt hatte – und sie wollte mir zeigen, dass sie nichts gegen meine neuen Freundinnen hatte.

»Ich war allein«, log ich. Auf keinen Fall sollte sie Verdacht schöpfen, falls sie und Dad heute Nacht etwas bemerken sollten.

Sie sah mir noch einen Moment in die Augen, wobei ich

versuchte, ihrem Blick standzuhalten. Sie aß schweigend weiter, stand dann auf und begann abzuspülen. Ich schob den Teller weg, murmelte »Gute Nacht« und floh aus der Küche in mein Zimmer, wo ich mich aufs Bett warf.

Diese verfluchte Mutprobe! Whisky stehlen und Auto fahren! Warum waren sie so gemein und verlangten so etwas von mir? Und warum war ich so blöd und machte es auch noch?

Ich hatte Angst. Angst davor, bei etwas Verbotenem erwischt zu werden. Und es widerstrebte mir, meine Eltern zu hintergehen. Was würde ich sagen, wenn sie entdeckten, dass die Flaschen fehlten? Ich müsste sie anlügen. *Wie, es fehlen Whiskyflaschen? Nein, keine Ahnung! Vielleicht hat sie ein Kunde genommen . . .?*

Ich muss es nur dieses eine Mal machen, sagte ich mir. Ein Mal und dann nie wieder. Was ist schon ein einziges Mal?

Immer wieder ging ich in Gedanken die einzelnen Schritte durch.

Ich müsste verdammt aufpassen, dass ich niemanden aufwecken würde – das hieß vor allem, dass ich den Motor nicht so laut aufheulen lassen dürfte. Doch dann sagte ich mir, dass in ein paar Stunden alles überstanden wäre. Ich würde den Whisky einfach ausspucken, wenn sie es nicht merkten, und um vier oder spätestens fünf Uhr morgens wäre ich wieder im Bett, das Auto zurück vor dem Haus und ich Mitglied und Sängerin von *The Fling*.

Je öfter ich das Mantra runterbetete, umso fester glaubte ich daran.

Um zehn Uhr schloss mein Vater die Tür und die Zapfsäulen.

Meistens saß er dann noch im Wohnzimmer im Sessel und sah bis Mitternacht fern, während meine Mutter schon früher ins Bett ging und in einem historischen Roman las. Keine Ahnung, wie viele solcher Bücher sie schon verschlungen hat. Berge wahrscheinlich.

Ich lag mit Jeans und Sweatshirt in meinem Bett im ersten Stock und starrte abwechselnd an die Decke und auf mein Handy.

Um zwölf hörte ich, wie Dad den Fernseher ausschaltete und die Treppe heraufkam. Das Schlafzimmer meiner Eltern war von meinem durch das Badezimmer getrennt. Ich hörte, wie mein Vater sich die Zähne putzte, dann ging die Toilettenspülung und endlich wurde die Schlafzimmertür zugezogen.

Ich wartete bis um eins, was eine unendlich lange Zeit war, schlug dann die Bettdecke zurück, zog meine warme Jacke an, obwohl es den ganzen Tag recht warm gewesen war, aber in der Nacht am See würde es sicher ziemlich feucht und kühl sein. Meine Sneakers und den leeren Rucksack nahm ich in die Hand und schlich, so lautlos ich konnte, die Treppe hinunter. Von der Kommode im Gang nahm ich Dads Autoschlüssel, der in einem Ledermäppchen steckte, und den Tankstellenschlüssel an dem grünen Shrek-Anhänger. Den hatte ich vor Jahren in einem Überraschungsei gehabt und Dad geschenkt. Erst vor der Tür zog ich die Schuhe an.

Die Grillen zirpten, es roch nach Land: nach Blumen und frisch gemähtem Gras und Kühen. Die Laterne schräg gegenüber an der Bushaltestelle glomm schwach und milchig. In ihrem Lichtschein sah ich Falter und jede Menge Insekten herumschwirren. Feucht legte sich die Luft auf mein Gesicht. Es war dunkel, der Mond war nicht zu sehen. Auch von Maya, Vivian und Leonie keine Spur. Vielleicht hatten sie sich versteckt und beobachteten mich oder – vielleicht war alles nur ein Bluff! Sie wollten mich einfach ärgern und wissen, ob ich es wirklich tun würde!

Ein Windhauch streifte mein Gesicht und ich hoffte, dass es nicht noch regnen würde. Vier Leute mit matschigen Schuhen im Auto . . . ich durfte gar nicht darüber nachdenken. Und hoffentlich würden meine Eltern tief und fest schlafen, bis ich wieder zurückkäme.

Nun musste ich noch den Whisky besorgen. Zum Glück hatte mein Vater auf eine Alarmanlage verzichtet, da wir so nah an der Tankstelle wohnten. Hinter der Kasse gab es einen Safe, dort lagen die Tageseinnahmen, die meine Mutter oder er am nächsten Tag dann immer zur Bank brachten.

Ich schloss die Hintertür auf, gab acht, dass der Schlüsselbund nicht rasselte oder gegen die Tür schepperte. Eine Taschenlampe hatte ich nicht dabei. Zu riskant. So musste ich mit dem wenigen Laternenlicht auskommen, das durch die große Glasscheibe der Eingangstür hereinfiel. Dort hing eine Glocke, die klingelte, wenn die Tür aufging.

Ich brauchte eine Weile, bis sich meine Augen an die Dunkelheit gewöhnt hatten und ich mehr als nur Schatten erkennen konnte. Vorsichtig, um nicht gegen die Eiskühltruhe und den Zeitungsständer zu stoßen, tastete ich mich hinter die Theke mit der Kasse.

Ich streckte den Arm aus und nahm eine der beiden J&B-Flaschen aus dem Regal. So würde es nicht so schnell auffallen, wenn nur eine fehlte. Daneben standen hintereinander drei Johnny Walker, von denen nahm ich auch eine und dann noch einen Wodka Absolut und einen Tequila mit gelbem Etikett. Ich packte alles in meinen Rucksack, der ganz schön schwer war, und schlich zur Hintertür hinaus, schloss ab und ging zur Waschanlage, neben der unser roter Opel Astra parkte.

Mein Herz hämmerte laut und meine Kehle fühlte sich

ganz trocken an, als ich zu unserem Haus hinübersah. Doch dort war alles dunkel, nur das Licht am Eingang über der Haustür leuchtete. Ich steckte den Schlüssel ins Schloss und zog die Fahrertür auf. Meine Hände zitterten und waren eiskalt und ich musste ein Zähneklappern unterdrücken. Den Rucksack legte ich in den Fußraum des Beifahrersitzes, dann stieg ich ein und ließ leise die Autotür zufallen. Ich schloss die Augen und atmete tief durch. *Ganz ruhig*, sagte ich mir. *Du hast das schon tausendmal gemacht, Franziska*, versuchte ich meinen hämmernden Herzschlag zu beruhigen. Dann trat ich die Kupplung, nahm den Gang heraus, ließ die Kupplung los und drehte den Schlüssel. So laut war mir der Motor noch niemals vorgekommen. Bestimmt würde gleich das Licht im Schlafzimmer angehen und mein Vater käme aus der Haustür gerannt . . .

Ich legte den ersten Gang ein. Sonst schaffte ich das mit Leichtigkeit, doch jetzt wollte er einfach nicht reingehen. Beim dritten Versuch klappte es endlich, nur jetzt die Kupplung nicht zu schnell kommen lassen. Nerven behalten. Das Licht, ach ja, das würde ich später einschalten. Geschafft. Langsam fuhr der Wagen an, aber irgendein rotes Licht brannte noch. Und es piepste. Der Sicherheitsgurt, klar. Ich schnallte mich an. Mein Gott, würde ich irgendwann hier wegkommen? Doch da brannte immer noch ein Licht. Was konnte das sein, verdammt? Die Handbremse natürlich!

Endlich. Es war geschafft.

Ohne den Motor abzuwürgen, rollte ich auf die Straße. Rasch warf ich noch einen Blick hinauf zum Schlafzimmerfenster meiner Eltern. Dunkel. Immer noch. Zum Glück.

Langsam tuckerte ich die Straße hinunter. Sie wollten doch hier warten. Genau halb zwei zeigte die Uhr am Armaturenbrett. *Die wollten dich doch nur verarschen, Franziska, und du bist drauf reingefallen* . . .

Ich blieb am Fahrbahnrand stehen, vor der Einfahrt unserer Nachbarn. Fünf Minuten würde ich ihnen noch geben, länger nicht.

Es klopfte an die Scheibe. Ich drehte mich nach hinten. Leonie riss die hintere Tür auf, Maya die vordere. Vivian rutschte neben Leonie auf die Rückbank. Alle drei kicherten.

»He, leise!«, zischte ich.

»Man, entspann dich mal, hier drinnen kann uns doch niemand hören!«, kam es von Vivian.

Ich seufzte. »Schnallt euch wenigstens an, damit diese blöden Lichter hier ausgehen.«

»Aye-aye Sir!« Vivian kicherte wieder.

Ich war sicher, sie hatten irgendwas genommen. Gras oder Ecstasy oder sonst was. Ich kannte mich da nicht aus. Noch ein tiefer Atemzug, dann gab ich Gas, fuhr an, schaltete die Scheinwerfer ein, zum Glück wusste ich, wie das ging, schaltete in den zweiten Gang und dann sogar in den dritten. Konzentriert hielt ich mich an den weißen Mittelstreifen und betete, dass die Polizei heute Nacht irgendwo anders unterwegs war. Nur ein Wagen begegnete uns und auch zu Fuß war niemand unterwegs. Dennoch, die zehn Minuten zum Parkplatz am Wald waren die längsten meines Lebens.

»Und jetzt?«, fragte ich und atmete auf, als der See in Sichtweite war.

»Da in den Feldweg!«, kam es von Vivian.

Gut, da würde uns niemand sehen, dachte ich erleichtert. Die Polizei käme bestimmt kaum auf die Idee, in den Wald reinzufahren. Ruckelnd lenkte ich das Auto über den holprigen Weg.

»Stopp!«, rief Leonie so plötzlich, dass ich erschrak und auf die Bremse stieg. Der Motor erstarb. Die Scheinwerfer beleuchteten stumm den fleckigen Stamm einer Weide, deren Ast wie ein Putzlumpen auf der Windschutzscheibe hing. Mist, ich müsste rückwärts fahren, um wieder auf den geteerten Parkplatz zu kommen. Wie ging dieser verfluchte Rückwärtsgang noch mal rein?

»Na, was haben wir denn da?« Maya hatte meinen Rucksack aufgemacht und holte eine Flasche nach der anderen heraus. »Whisky, Tequila . . .«

»Ich will den Tequila!«, rief Vivian und streckte ihren dünnen Arm an meiner Schulter vorbei nach vorn.

»Moment!« Maya zog die Flasche zurück. »Erst unsere Fahrerin!«

Das musste ja so kommen!

Sie schraubte die J&B-Flasche auf. »Für dich.«

Ich zögerte, fragte: »Und dann bin ich bei euch dabei, ja?«

»Ja«, antwortete Maya und streckte mir die Flasche entgegen.

Und was war jetzt mit meinem Plan, das Zeug in den Mund zu nehmen und dann unbemerkt auszuspucken? Wie sollte das im Auto gehen? Ich durfte gar nicht daran denken, wie es dann dadrin riechen würde.

»Warum gehen wir nicht raus an den See?« Schon tastete meine Hand nach dem Türgriff.

»Ist viel zu kalt«, meinte Leonie.

»Jetzt mach schon!« Maya stieß mir ungeduldig die Flasche vors Gesicht.

Mir blieb nichts anderes übrig. Ich trank. Einen Schluck und dann einen weiteren. »Bäh! Wie das brennt!«

Die anderen lachten. »Stell dich nicht so an!«, meinte Vivian von hinten und schraubte die Tequilaflasche auf.

»Los, mehr!«, forderte mich Maja auf.

Es war sowieso schon alles egal. Das Auto würde nachher stinken wie eine Ausnüchterungszelle mit vier Alkoholleichen, Erde vom Feldweg würde an den Reifen und an der Karosserie kleben und die Lücken im Regal würden meinen Eltern garantiert sofort ins Auge springen. Wie hatte ich mir nur vormachen können, dass das Ganze funktionierte, ohne dass irgendjemand zu Hause was bemerkte?

Schließlich machte ich doch die Tür auf, weil mir kotzübel war. Auch die anderen lagen bald im Gras. Irgendwann sagte jemand, es sei vier, wir müssten heimfahren, bevor es hell würde.

»Fahren? Ihr spinnt wohl!« Ich konnte ja kaum im nüchternen Zustand fahren. Und jetzt drehte sich alles wie ein Karussell in meinem Kopf. Meine Arme hingen an meinem Körper, aber sie fühlten sich nicht so an, als gehörten sie zu ihm. Wie sollte ich da lenken, schalten, ja . . . rückwärts fahren?

»Du willst doch wohl nicht hier übernachten, Ziska?«, fragte Leonie und ihr Gesicht schwebte ganz verschwommen über mir.

»Doch, ich glaube, das ist das Beste«, erwiderte ich. Mir war wirklich alles egal. Ich wollte nur noch in einen traumlosen, tiefen Schlaf fallen und dann aufwachen und alles wäre wie früher.

»Kommt überhaupt nicht infrage!«, schrie jemand und ein Rütteln ging durch meinen Körper. »Du fährst jetzt!«

»Ich kann nicht«, antwortete ich völlig erledigt.

Dann passierte etwas, an das ich mich später nicht mehr erinnern konnte. Jedenfalls hielt ich im nächsten Moment irgendwie plötzlich das Steuer in der Hand und der Motor heulte auf.

»He, langsam!«

Wir fuhren rückwärts. Irgendjemand hatte den Rückwärtsgang eingelegt.

»Pass auf, der Baum da!«, schrie Maya. Oder Vivian.

Wo war die Scheißbremse? Mein Fuß trat irgendwo da unten im Fußraum herum. Ich erwischte das falsche Pedal und der Baum schoss auf uns zu, es krachte, dann war alles dunkel und still.

Etwas kitzelte. Und etwas fiepte. Ich machte die Augen auf. Ein Sonnenstrahl fiel mir ins Gesicht, stach mit all seiner gleißenden Helligkeit in meine Augen, sodass ich sie schnell wieder schloss. Außerdem hatte ich genug gesehen. Mein Kopf dröhnte. Dann kehrte die Erinnerung zurück. Der Baum. Der Aufprall. Ich war auf dem Feldweg rückwärts gefahren und an den Baum geknallt. Das Fiepen waren Vogelstimmen. Scheiße, ich war tatsächlich noch im Wald!

Ich stemmte mich gegen die Tür und ließ mich ins Gras fallen. Wo waren die anderen? Lagen sie hier irgendwo herum? Drei Alkoholleichen? Ich hievte mich am Auto hoch. Blinzelnd ließ ich meinen Blick umherschweifen, das helle Licht stach wie Nadeln in meine Augen. Nein, da war niemand. Weit und breit keine Menschenseele. Ich war hier ganz alleine. Sie waren einfach abgehauen!

In mir stieg eine unbändige Wut auf und zornig schlug ich mit der Faust auf die Kühlerhaube. Was hatte ich mir nur dabei gedacht? Ich war doch total blöd! Wie hatte ich mich nur auf so was einlassen können?

Ich tastete mich am Auto bis nach hinten. Der Baumstamm war tief in die Stoßstange und in die Heckklappe eingerammt. Mein Vater würde ausrasten! Was sollte ich meinen Eltern bloß erzählen?

Mir war immer noch schlecht und alles drehte sich. Nein, selbst jetzt konnte ich noch nicht nach Hause fahren. Ich suchte im Auto nach meinem Handy, es musste mir aus der Hosentasche gefallen sein. Ich konnte es nicht finden. Erschöpft ließ ich mich ins taufeuchte Gras sinken und lehnte mich gegen die Fahrertür. Und jetzt? Sollte ich hier warten, bis Spaziergänger vorbeikämen – oder die Polizei?

Keine Ahnung, wie lange ich so dasaß und die Gedanken wie Teig in meinem Kopf herumknetete. Bis ich es nicht mehr aushielt, mich hinters Steuer setzte, die Kupplung trat, den Gang herausnahm, den Motor anließ, den ersten Gang einlegte und das Auto ruckend vom Baumstamm löste. Tatsächlich schaffte ich es, erneut den Rückwärtsgang einzulegen und zum Parkplatz zu zuckeln. Jetzt wäre es nicht mehr allzu schwer, nach Hause zu fahren – dachte ich zumindest. Doch als ich an der Einmündung zur Straße stand, musste ich mir eingestehen, dass es sehr wohl schwerer war als angenommen, denn nun fuhren dort Autos und Lastwagen entlang. Meine Hände wurden feucht und ich starrte wie benommen auf den Verkehr, der an mir vorbeirauschte. Doch ich hatte keine andere Wahl. Ich müsste einfach nur eine ziemlich große Lücke abwarten. Und wenn ich den Motor genau beim Einfahren abwürgen würde . . .?

Mach schon, redete ich mir zu, *es klappt bestimmt.*

Ich schaffte es tatsächlich. Hinter einem weißen Lieferwagen kam erst mal kein weiteres Auto. Ich gab Gas. Zu viel, der Motor heulte auf und ich schoss auf die Fahrbahn. Egal. Ich hatte es wenigstens geschafft. *Und jetzt einfach ruhig weiterfahren,* sagte ich mir. Zweiter Gang, dritter Gang. Das gelbe Ortsschild von Kinding kam mir vor wie ein Rettungsanker, doch kaum zwei Sekunden später wurde mir klar, dass ich gleich meinen Eltern gegenübertreten müsste. Es war das Schlimmste, was ich mir vorstellen konnte, dachte ich.

Aber es kam schlimmer.

Ich sah es gleichzeitig: Das gelb-grüne Schild unserer Tankstelle und das weiß-grüne Polizeiauto in der Einfahrt.

Was dann kam, erlebte ich wie in einem Albtraum.

Fahren unter Alkoholeinfluss, minderjährig, außerdem ohne Führerschein. Das hätte schon für Jugendarrest gereicht.

Ich hatte Glück, einfach Glück. Der zuständige Richter ließ Gnade vor Recht ergehen und verdonnerte mich zu Sozialstunden, zwei Nachmittage in der Woche Dienst im Altenheim.

Er ahnte wohl, dass ich andere schützte, denn ich nahm alles auf meine Kappe. Und meine Eltern gaben es irgendwann auf, mich mit Fragen zu löchern.

Zwei Tage blieb ich zu Hause. Keine der drei rief mich an und fragte nach mir. Es kam mir vor, als hätte ich selbst die Idee zu dieser Mutprobe gehabt. Als ich dann wieder in die Schule ging, waren Maya, Leonie und Vivian sofort an meiner Seite – und sie waren ziemlich nervös.

»Was hast du denen erzählt?«, wollte Leonie noch vor der ersten Stunde wissen. Da merkte ich, dass sie totale Angst hatte, ihre Eltern könnten etwas davon erfahren. Aber auch Vivian und Maya verhielten sich mir gegenüber anders. Längst nicht mehr so überlegen.

Ich zuckte die Schultern. »Nichts.«

Erst als tatsächlich keine von ihnen Besuch von der Polizei bekam, glaubten sie mir endgültig, dass ich sie nicht verraten hatte.

Ich war aufgenommen.

9

Ziska?«

Mein Name dringt aus einer fernen Galaxie zu mir. »Du hast vielleicht einen gesunden Schlaf! Lernt man das im Gefängnis?« Es ist das Wort Gefängnis, das mich hochschrecken lässt. Das Erste, was ich sehe, ist eine weiße Zimmerdecke. Dann registriere ich Schwindel und grausame Kopfschmerzen.

»He, du musst nicht gleich aufspringen!« Leonies Stimme.

Oh Gott, bitte nicht, bitte lass mich nicht in einem Krankenhaus aufwachen! Ich versuche, meine Füße, Beine, dann meine Arme und Hände zu bewegen. Alles funktioniert. Kein Unfall. Keine Querschnittslähmung. Kein Gehirnschlag. Wie eine Checkliste gehe ich alle Möglichkeiten durch, bis ich mich an den verdammten Eistee erinnere.

»Du warst plötzlich k. o.« Leonie schüttelt den Kopf. »Und dann hast du selig wie ein Baby die ganze Nacht geschlafen, bis jetzt. Es ist schon nach Mittag. Um genau zu sein, es ist halb drei.« Leonie grinst. »Na ja, und ich dachte, dass ich mich besser um dich kümmre, als zur Schule zu gehen.«

Sie sitzt neben mir und ich liege in ihrem Zimmer auf ihrem Bett. Na toll, denke ich. Und dann zieht der gestrige Tag an mir vorbei, wie ich in Prien ankomme, Leonie mich abholt, wir in Kinding Eis essen und zu ihr nach Hause fahren, wie Nadia auf meinem Bett sitzt und wir zu Maya fahren. Nein, vorher findet Leonie noch den Brief in der Post.

»Kein Wunder, dass du nichts mehr verträgst«, sagt Leonie,

»im Gefängnis und in dieser Klinik habt ihr sicher nur Pfefferminztee gekriegt. In großen Blechkannen, stimmt's?« Ich höre das Lächeln in ihrer Stimme.

Stimmt, hätte ich sagen können, stattdessen frage ich aber: »Was ist passiert?«, und setze mich auf, woraufhin mir sofort wieder schwindlig wird. Mein Gehirn schwappt in meinem Schädel. »Was ist mit mir passiert?« Die Panik wächst. Nicht noch einmal ein schwarzes Loch . . . »Leonie!«, ich greife nach ihrer Hand, »bitte, sag, was hab ich gemacht?«

»Jetzt mal ganz langsam!« Beruhigend streichelt sie über meine Finger. »Du bist bei Maya auf der Terrasse einfach zusammengeklappt, hast den Kopf auf den Tisch gelegt und bist eingeschlafen. Keine Chance, wir haben dich nicht mehr wach gekriegt. Wir haben ein Taxi gerufen und ich bin mit dir nach Hause gefahren. Also, alles gar nicht so schlimm.« Sie lächelt aufmunternd und drückt meine Hand.

Ich finde es schlimm.

Wieso hab ich so viel getrunken? Worüber haben wir eigentlich geredet?

Da fällt es mir wieder ein. »Leonie?«

»Ja?«

»Sag mal . . . meinst du, es könnte möglich sein, dass . . . dass . . .«

Das, was ich denke, ist so ungeheuerlich, dass ich mich davor fürchte.

»Dass was?«, fragt Leonie mit einem misstrauischen Blick. Ich räuspere mich, um ein paar Sekunden Zeit zu gewinnen.

»Sag schon!« Leonie wird ungeduldig.

Ich hole Luft und dann spreche ich es aus: »Dass in den Minuten, an die ich mich nicht erinnern kann, Claude gekommen ist . . .«

Stille. »Du meinst, Claude hat Maurice erschlagen?« Die letzten Worte hat sie fast geschrien und jetzt ist es umso stiller. »Verdammt, Ziska, er hatte ein Alibi. Das hat Vivian doch gesagt! Also schlag's dir aus dem Kopf.«

Ja, wie komme ich nur darauf? Ein Hoffnungsschimmer vielleicht, an den ich mich gerne klammern würde? Die verzweifelt gesuchte Erklärung für eine Tat, die zu begehen ich mir niemals hätte vorstellen können? Als sollte ich für solche Gedanken bestraft werden, werden meine Kopfschmerzen schlimmer.

»Es ist nur so eine Idee ...« Und dann muss ich es ihr erzählen.

Dass die letzte Erinnerung vor meinem Blackout ein Blitz gewesen ist. Eine Art Reflex, ein Schimmer ...

»Und was, bitte schön, sollte das gewesen sein?«, fragt Leonie skeptisch.

»Keine Ahnung, Leonie, was glaubst du, wie oft ich schon darüber nachgedacht habe ...«

»Hm.«

Auf einmal weiß ich, was ich tun muss. »Leonie, wir müssen zum Bootshaus.«

»Jetzt?«

Schwungvoll stelle ich die Füße auf den Boden, die stechenden Kopfschmerzen lassen mich zusammenzucken. »Ja, jetzt gleich! Vielleicht kann ich mich an noch mehr erinnern.«

Leonie sieht mich mit einer Mischung aus Besorgnis und Unglaube an. »Bist du sicher, in deinem Zustand? Meine Mutter ist sehr pingelig ... mit dem Auto.«

Ich nicke entschlossen.

Leonie bringt mir noch ein Glas Wasser und eine Kopfschmerztablette. Die Laugenstange, die sie mir hinhält, schiebe ich angewidert zur Seite. Ich nehme vorsichtshalber die Plastiktüte mit, in der meine Schuhe waren.

Leonies Hand mit dem Schlüssel hält wenige Zentimeter vor dem Zündschloss in der Luft inne. Sie dreht sich zu mir und schaut mich an. In ihrem Blick liegt Besorgnis. »Willst du dir das Bootshaus wirklich antun? Wie oft warst du schon mit der Polizei dort?«

Oft war ich dort. Und jedes Mal hatte ich gehofft, dass die fehlenden Erinnerungen zurückkehren würden. Trotzig sehe ich sie an.

»Du lässt dich nicht abbringen, was?«, sagt Leonie, als ich nicht antworte. »Aber dir ist schon klar, was passieren kann?«

»Was?«

»Na ja, stell dir vor, du erinnerst dich plötzlich wieder. Du siehst dich, wie du es getan hast. Glaubst du, dass du damit besser leben kannst? Jede Nacht wirst du aufwachen und dich mit dem Ruder in der Hand sehen, wie du . . .«

»Hör auf, Leonie! Das sehe ich auch jetzt schon jede Nacht. Aber es ist anders. Es ist, wie wenn du dich immer nur an die Fotos vom Geburtstag, aber nie an den Geburtstag selbst erinnern kannst.«

10

Vergangenheit

Und dann war ich zum ersten Mal dabei: bei der Musikprobe!

Sie waren schon da, warteten im Musiksaal. Früher hätte ich vielleicht ein schlechtes Gewissen gehabt, aber jetzt fühlte ich mich stark. Ich hatte die dämliche Mutprobe bestanden und sie nicht verpetzt. Da konnte ich es mir doch mal leisten, ein paar Minuten zu spät zu kommen. Niemand sagte etwas. Leonie hängte sich ihre Gitarre um, Maya begann auf der Bassgitarre, Vivian ließ einen Trommelwirbel ertönen.

»Ich hab einen Text für einen Rap«, sagte ich.

Maya nickte und begann mit einem Basslauf. Und ich fing einfach an zu singen.

> *Du sagst, du bist nichts wert.*
> *Man liebt mich nicht.*
> *Ich sage: doch, ich liebe dich.*
> *Das ist unmöglich,*
> *sagst du und drehst dich weg.*

Vivian setzte mit dem Schlagzeug ein und Leonie spielte ein kurzes Zwischenstück, bis ich weitersang.

> *Du sagst: Tu mir nicht weh.*
> *Ich sag: Dann geh! Geh, geh!*

Liebe braucht Mut,
stürz dich vom Fels
und flieg!

Ich kann nicht!
Sagst du.
Ich sterbe!
No!
Doch!
Feigling!

Sag ich doch: ich bin nichts wert.
Gib mir die Hand und spring
Mit mir!
Nein!

Dann geh und versteh
Liebe braucht Mut! Mut! Mut!

Mayas Bass klang aus und dann herrschte Stille. Wir hatten uns selbst beeindruckt.

Vivian schlug auf die Trommel und riss uns aus unserer Andacht. »He, das war ziemlich cool!«, sagte sie und legte gleich mit einem Trommelwirbel nach.

»Find ich auch«, meinte Maya.

Leonie nickte und zog schweigend den Gitarrenriemen über den Kopf und schüttelte ihr Haar. Sie schien immer noch ein Problem mit der Tatsache zu haben, dass nicht sie, sondern ich vorn am Mikro stand und sang. Obwohl sie doch viel schöner war als ich.

»Wer hat was dagegen, dass wir am nächsten Samstag

nach dem Basketballspiel auftreten?«, fragte Vivian und ließ einen Paukenschlag folgen.

Am Samstag fand in Prien ein Basketballturnier statt und auch unsere Schule stellte eine Mannschaft. Anschließend würde eine Party stattfinden.

»Niemand!«, rief ich übermütig, worauf mir Leonie einen giftigen Blick zuwarf und sagte: »Wir haben noch nicht oft genug zusammen geübt. Und ich habe keine Lust, mich zu blamieren.«

Doch Vivian und Maya waren für den Auftritt und so fügte sich Leonie schließlich.

Mir war klar, dass sie einfach nicht wollte, dass ihr jemand die Show stahl. Noch dazu jemand wie ich.

Die ganze Woche war ich aufgeregt und übte zu jeder passenden und unpassenden Gelegenheit. Nicht nur unter der Dusche und im Bett, auch auf dem Schulweg und beim Fernsehen. Meine Eltern lachten nur. Sie waren froh, dass ich mich in der neuen Umgebung so wohlfühlte und Anschluss gefunden hatte. Sie hatten ja keine Ahnung, welchen Preis ich dafür gezahlt hatte.

Am Samstag war es endlich so weit. Die Mannschaft unserer Schule belegte den dritten Platz, wir hatten alle mitgefiebert und sie angefeuert. Die Stimmung war ausgelassen, denn die Gastgeber hatten den Pokal gewonnen.

Im Schulhof hatte man eine Bühne aufgebaut und an aufgestellten Tischen konnte man Getränke und Würstchen kaufen. Ein rotes Licht verlieh der Bühne selbst am Nachmittag etwas Interessantes. Eine Band aus der Umgebung hatte gerade aufgehört zu spielen. Jetzt waren wir dran.

Das ganze Publikum starrte zu mir herauf. Irgendetwas stimmte nicht, merkte ich. Aber was? Ich drehte mich zu Leonie um, auch sie starrte mich entsetzt an. Maya schüttelte den Kopf und Vivian verzog das Gesicht. Was war nur los mit mir?

Ich sah an mir herunter. Die Erkenntnis traf mich wie ein elektrischer Schlag. Ich war splitternackt! Ich musste in der Aufregung vergessen haben, mich anzuziehen.

Und da brach es auch schon los, das Gejohle und Gelächter. Ich drehte mich um und wollte hinter den Vorhang flüchten, doch meine Beine waren steif. Sie bewegten sich keinen Millimeter. Ich war eine lebende Statue! »Nein!«, schrie ich – und wachte auf.

An diesen Albtraum dachte ich wieder, als wir auf die Bühne stiegen. Endlich! Der Applaus brandete auf, aber ich konnte mich nicht bewegen. Da schob mich Leonie nach vorn zum Mikro und flüsterte mir ins Ohr: »Gib dein Bestes!« Dieser Satz riss mich aus meiner Starre. Ja, das wollte ich!

Und schon beim ersten Song sah ich ihn in der Menge: Maurice! Er stand links vorne und er sah zu mir herauf! Oder bildete ich mir das nur ein? Egal, ich gab mein Bestes!

Ein Song jagte den nächsten und das Publikum war total begeistert und ausgelassen. Ich merkte, wie ich von Minute zu Minute lockerer wurde, und am Ende fühlte ich mich so glücklich wie noch nie zuvor in meinem Leben.

Nach zwei Zugaben gingen wir dann von der Bühne. Schweißgebadet und ausgelassen. Wir fielen uns um den Hals und auch Leonie umarmte mich. »Du warst fantastisch«, sagte sie. »Ehrlich!« Ich strahlte und Leonie lächelte mich an.

Kurz vor der Garderobe, einem Zimmer im Schulgebäude, fiel mir ein, dass ich meinen Glücksbringer, einen kleinen

Teddy, auf der Bühne vergessen hatte, und ging noch mal zurück.

Als ich mich bückte und ihn aufhob, sah ich in ein Gesicht. Maurice stand vor mir. Er war sonnengebräunt und seine dunklen Locken kamen dadurch noch mehr zur Geltung.

»Hey . . .«, sagte er und lächelte mich mit seinen braunen Augen an. »Du warst super!«

»Na ja, danke. Wir waren alle gut, oder?« Ich erhob mich, hüpfte von der Bühne und steckte meinen Teddy mit dem Brandfleck im Fell rasch in meine Hosentasche, was nicht so ganz funktionierte.

»Schon, aber du warst super«, sagte er und warf einen kurzen Blick auf die abgegriffenen Schlappohren, die aus der Tasche hervorlugten.

Ich konnte noch nie gut mit Komplimenten umgehen und so wurde ich nur rot, zuckte die Schultern und sagte: »Die anderen sind schon in der Garderobe.«

»Ich will nicht zu den anderen«, sagte er einfach.

»Nein?«, fragte ich überrascht und starrte auf eine langstielige Blume in seiner Hand. War die aus dem Schulgarten?

»Nein, ich wollte . . . dir . . . der Song war . . . war . . . war echt gut.«

»Danke.« Ich wusste nicht weiter. Dabei war ich so, so glücklich! Ich strahlte ihn an, ich konnte mir nicht helfen.

Auch er sagte nichts. Dann endlich: »Sie hatten sonst nie so coole Texte.«

Wieder wusste ich nicht, was ich sagen sollte. Ich merkte nur, wie mir ein Schauer nach dem anderen über den Körper jagte.

»Du bist anders«, sagte er und erinnerte sich an die Blume, »die ist . . .«

»Ach, da steckst du!« Leonies Stimme ließ mich herumfahren. »Hey Maurice!« Leonie schüttelte schwungvoll ihre Mähne. »Oh, das ist aber süß von dir!« Schon streckte sie die Hand nach der Blume aus, doch Maurice zog sie zurück.

Leonie sah ihn irritiert an und zog die Stirn in Falten. Plötzlich begriff sie. Maurice reichte sie mir. Ich starrte auf die Blume, dann auf ihn, dann auf Leonie und meine Hand blieb auf halbem Weg in der Luft stecken.

»Ich, äh . . .«, stammelte ich, »ich hab total vergessen, meine Mutter anzurufen, sie wollte, dass ich ihr sofort erzähle, wie es gewesen ist!« Ich versuchte, entschuldigend zu lächeln, drehte mich um und flüchtete mich in unser Umkleidezimmer. Zum Glück waren Maya und Vivian schon weg. »Kein eleganter Abgang, Franziska!«, murmelte ich. Ich ließ mich auf den Stuhl vor dem Spiegel fallen.

In mir herrschte das reinste Chaos. Ich war völlig durcheinander. Verwirrt. *Maurice interessiert sich für mich!,* sang eine Stimme in mir, immer und immer wieder. Das hatte ich nie zu hoffen gewagt.

Doch im nächsten Moment schüttelte ich den Kopf über mich selbst. Leonie war scharf auf ihn, das wusste ich. Die beiden hatten schon mal was miteinander. Selbst wenn Maurice mich gut fand, durfte ich es nicht zulassen, weil ich sonst Leonie als Freundin verlieren würde!

Ich hob den Kopf und betrachtete mich im Spiegel. Meine Wangen waren gerötet und meine Augen glänzten. Kam das vom Auftritt – oder weil mir Maurice eine Blume schenken wollte? *Was soll ich nur tun?,* fragte ich mein Spiegelbild.

Liebe braucht Mut . . . ging es mir durch den Kopf. Leicht gesagt, dachte ich und rief tatsächlich meine Mutter an. Immerhin hatte sie mitgefiebert, es war ja mein erster Auftritt gewesen.

Als Leonie in die Garderobe kam, sagte sie nichts, ging nur stumm an mir vorbei zu dem Stuhl, auf dem ihre Jacke hing, und zog sie über.

»Leonie«, fing ich an, dabei wusste ich gar nicht, was ich sagen sollte.

»Was?«, fragte sie, ohne mich anzusehen.

»Du kannst diese Blume gern haben . . .« Oh Gott, das wollte ich doch gar nicht sagen . . .

Ihr Blick traf mich wie ein Dartpfeil. »Die Blume kannst du dir sonst wohin stecken!«, fauchte sie. »Denkst du, ich will diese blöde Blume haben! Sieht sowieso aus wie Unkraut!«

»So hab ich das nicht gemeint . . . Leonie, wirklich, ich . . .«

»So, und wie hast du es denn dann gemeint?«, fragte sie schnippisch.

»Dass . . . dass ich mir nichts aus Maurice mache . . .« Warum sagte ich das? Warum log ich? Liebe braucht Mut . . . *Halt die Klappe*, zischte ich meiner nervenden inneren Stimme zu.

Leonies höhnisches Lachen tat mir weh. Nicht nur in meinen Ohren. Auch in meinem Herzen. Sie war doch meine Freundin.

»Du machst dir nichts aus Maurice? Das glaubst du doch selbst nicht!« Sie lächelte verächtlich.

Ich muss gehen, bevor sie alles zerstört, was zwischen uns ist, dachte ich und wollte mich erheben.

»Moment!« Sie baute sich vor mir auf, breitbeinig, die Arme in die Seiten gestemmt, wie die Henkel einer griechischen Amphore.

»Du lügst! Ich hab gesehen, wie er dich angestarrt hat. Und

wie du ihn angestarrt hast, mit diesem Leuchten in den Augen!« Mit giftigem Blick sah sie auf mich herunter.

»Was für ein Leuchten?«, fragte ich müde.

»Komm schon, Franziska Krause, hör auf, hier einen auf naiv zu machen, ja!«

Dass sie Franziska Krause sagte, verletzte mich. Plötzlich war ich wieder die Fremde, deren ganzen Namen man sagen musste, damit auch klar war, wer gemeint war. Ich wurde wütend. »Was ist, hast du ihn für dich reserviert?« Ich stand auf und sie wich einen halben Schritt zurück.

Ihre Augen wurden schmaler und plötzlich packte sie mich an den Oberarmen, schüttelte mich und schrie: »Du hast ja so einen miesen Charakter! Du nimmst dir alles, bedienst dich einfach!« Sie wurde lauter. »Sieh dich doch mal an! Du bist nichts, nichts, gar nichts!« Ihr Gesicht war knallrot angelaufen.

»Lass mich los!«, brachte ich heraus, schockiert, enttäuscht und wahnsinnig wütend. »Lass mich verdammt noch mal los!«

Als hätte ich ein Zauberwort benutzt, ließ sie augenblicklich von mir ab, ihre Züge entspannten sich und plötzlich lächelte sie mich entschuldigend an. »Ich hab's nicht so gemeint, Ziska. Entschuldige, ich . . . ich . . . ich hab einfach die Nerven verloren!« Plötzlich brach sie in Tränen aus.

Ich traute ihr nicht, immerhin hatte ich gerade erlebt, wie schnell sie von null auf hundert war. So sah ich sie nur weiterhin skeptisch an und überlegte, ob dieser Auftritt mit der Band mein erster und letzter gewesen sein sollte.

»Komm schon, bitte«, schluchzte sie, »vergessen wir's einfach, ja? Weißt du, ich will nicht, dass du dir was aus ihm machst. Er hat so einen miesen Charakter! Kaum, dass er jemanden sieht, ist die andere auch schon vergessen. So ist er. Deshalb hab ich ihn auch links liegen lassen. Bitte, Franziska, du musst mir glauben.«

Ich dachte noch, dass sie sich dafür aber ziemlich über die Blume gefreut hat, sagte es aber nicht. Unsere Freundschaft war mir zu viel wert, als dass ich sie jetzt wegen dieses blöden Streits aufs Spiel setzen wollte. Und womöglich hatte sie auch mit Maurice recht. Was wusste ich schon über ihn? Ich kannte ihn ja nicht. Um genau zu sein, hatte er heute das erste Mal mit mir gesprochen. Die ganze Zeit über hatte er mich nicht beachtet und kaum, dass ich auf der Bühne stand und ein Lied sang, schenkte er mir Blumen. Ja, wahrscheinlich hatte Leonie wirklich recht.

»Okay, vergessen wir den Typ!«, sagte ich und als Leonie mich wieder anlächelte, fühlte ich mich erleichtert.

Doch Maurice gab nicht auf und ich – ich vergaß die Szene mit der Blume nicht.

11

Leonie steuert den Mercedes die Seitenstraße zum See hinunter, parkt auf dem mit weißem Kies bestreuten kleinen Parkplatz, auf dem zwei Autos stehen. Ein roter Mini und ein großer dunkelblauer Van. Die Plastiktüte lasse ich im Fußraum. Ich hab sie zwar nicht gebraucht, aber mir ist immer noch fürchterlich übel.

Wir steigen aus, nehmen links den Feldweg. Verstohlen werfe ich einen Blick auf den Baumstamm. Ja, die Kerbe, die die Stoßstange und das Heck hinterlassen haben, ist deutlich zu sehen. Ein tiefer Knick im Stamm, eine Verletzung der Jahresringe, denke ich. Für immer wird dieses Ereignis dort eingegraben sein.

Leonie dreht sich zu mir um, sagt aber nichts, obwohl sie bestimmt weiß, wo mein Blick gerade hingewandert ist. Wir haben nie wieder darüber geredet.

»Mist, ich hätte meine anderen Schuhe anziehen sollen!«, flucht Leonie und stakst über die Furchen, die ein schwerer Wagen oder ein Traktor in die regennasse Erde gedrückt hat. Ganz trocken ist der Weg noch immer nicht.

Wir biegen ab und gehen über die Wiese hinunter zu den Bäumen, die das Ufer säumen. Eine schmale, geteerte und öffentlich nicht zugängliche Straße führt dort zum Bootshaus.

Wie still es plötzlich ist. Kein Vogel ist mehr zu hören, kein Auto, kein Geräusch vom See. Dort fährt eigentlich immer mal ein Ausflugsboot vorbei. Meine Kehle wird eng. Ich schlucke, doch davon wird es nicht besser.

»Bist du sicher, dass wir weitergehen sollen?« Leonie ist stehen geblieben und sieht mich besorgt an.

Über uns fliegt eine schwarze Krähe hinweg. Ich zucke zusammen.

»Ja, klar«, behaupte ich mit lauter Stimme. Mut vortäuschend schreite ich voran. Ich muss das jetzt durchziehen. Wie oft habe ich im Gefängnis davon geträumt, zum Bootshaus zurückzugehen. Es mir noch einmal genau anzusehen. In Ruhe. Sicher, ich war mit der Polizei dort, aber das fühlte sich anders an.

Das dunkle Bootshaus taucht hinter den grünen Blättern der Bäume vor uns auf. In meinen Träumen war es schwarz und riesig und Furcht einflößend. Jetzt hat es ein wenig von seiner Bedrohlichkeit verloren. Ich sage mir, dass es einfach nur ein Bootshaus ist, ein alter Schuppen aus verwittertem Holz, auf dessen Dach ein paar Schindeln fehlen. Ein Bootshaus, in dem der örtliche Rettungsschwimmerverein seine Ruderboote und Schwimmreifen aufbewahrt und wo die Rettungsschwimmer und ihre Freunde an den Wochenenden grillen, sich sonnen und baden gehen.

Doch ich weiß, dass das nur die eine Hälfte der Wahrheit ist. Die andere ist: Hier, in diesem Bootshaus, habe ich Maurice umgebracht.

Außer uns beiden ist niemand da, wie meistens unter der Woche. Die Sonne steht noch eine gute Handbreit über dem Giebel, halb vier ist es auf meiner Uhr. Ich bin erleichtert, dass es nicht Nacht ist, wie damals.

Eine Weile stehe ich einfach davor, bis Leonie sagt: »Und, erinnerst du dich an was?«

12

Vergangenheit

Niemand wusste, wer zum ersten Mal auf die Idee gekommen war. Später behaupteten die Stufensprecher, es sei während einer Sitzung aufgekommen. Ist ja auch egal. Jedenfalls war es seit Jahren Brauch, am Ende des Schuljahres eine Party am Seeufer zu feiern, zu der alle Schüler ab der zehnten Klasse kommen durften. Natürlich durfte offiziell kein Alkohol getrunken und auch nicht geraucht werden, aber nachts – oder vielmehr morgens um zwei oder drei – waren die Grüppchen so verstreut, dass niemand mehr kontrollieren konnte, was wirklich geschah. Da kamen Jungs aus dem Ort, die gar nicht ins Augustinus gingen, da wurde gekifft und getanzt und getrunken und am nächsten Morgen wusste man nicht mehr, wieso man immer noch da auf einer Decke unter einem Baum lag. Ich fand das Ganze schrecklich aufregend, denn zum ersten Mal durften wir mitmachen. Vivian, Maya und Leonie allerdings waren auch im letzten Jahr schon dabei gewesen. Heimlich natürlich, erklärte mir Leonie und fügte vertraulich hinzu: »Maurice wollte unbedingt mit mir einen Joint rauchen. Aber eigentlich wollte er mich küssen.« Sie zuckte die Schultern und es klang, als bedeutete es ihr nichts.

Nach der Zehnten gingen einige von der Schule ab und für sie war es ein wirklicher Abschluss, während es für uns andere der Beginn der großen Ferien sein würde.

Schon Wochen vorher redeten wir ständig von der Party. Wir, *The Fling,* würden auftreten. Es gab einiges, worum wir uns kümmern mussten. Wir brauchten eine Stromversorgung, einen Generator, eine Bühne – und natürlich auch eine Genehmigung. Jeder aus der Klasse würde etwas zu essen und zu trinken mitbringen. Eine offizielle Tasche – und eine inoffizielle mit den verbotenen Dingen.

Nach unserem ersten Auftritt versuchte ich, Maurice aus dem Weg zu gehen. Ich wollte einfach nicht mit Leonie in Konflikt geraten. Aber zwei Tage vor der Party ließ sich ein Zusammentreffen nicht vermeiden.

»Franziska!«, rief er mir hinterher.

Für einen Augenblick wollte ich weitergehen, so tun, als hätte ich nichts gehört, doch meine Beine blieben einfach stehen.

Ich drehte mich um. »Ach, hallo, Maurice. Ich hab gerade gar keine Zeit, aber . . .«

Doch da war er schon bei mir. »Ich wollte ein paarmal mit dir reden. Aber du warst immer ganz schnell weg.«

»Ach ja, im Moment ist viel los. Wir müssen für die Sommerparty üben und außerdem . . .« Ich weiß nicht, was ich noch alles geschwafelt hätte, wenn er mich nicht unterbrochen und gesagt hätte: »Ich hab das ernst gemeint, letztes Mal nach eurem Auftritt.«

Was, überlegte ich, hat er ernst gemeint? Nach dem Zusammenstoß mit Leonie hatte ich mir verboten, mich an die Begegnung zu erinnern. Immer, wenn ich daran dachte, habe ich mir gesagt, dass Leonie insgeheim doch mit ihm zusammen sein will.

»Äh, und was meinst du genau?« Es klang ziemlich doof.

»Die *Fling* hatten noch nie so gute Texte.« Wie er das sagte, einfach so, dabei war er einer der bestaussehenden Jungs und intelligent – andere hätten nie so was gesagt.

»Ach so, ja.« Dann war es also nur das? »Und?« Es fiel mir schwer, so abweisend zu ihm zu sein. Wenn er nur wüsste, wie sehr ich gegen meine Gefühle ankämpfte.

»Und . . .« Er zögerte, sah mich mit seinen dunklen Augen an, dass mir ganz flau im Magen wurde. »Und . . . dass ich mich gern mal mit dir treffen würde.«

»Okay«, sagte ich und setzte ein Lächeln auf, das fröhlich und unverbindlich aussehen sollte.

»Okay.« Er nickte, lachte aber nicht, sondern sah mir so tief in die Augen, dass ich schlucken musste und anfing zu stammeln. »Dann . . . dann . . . ja . . . und wann . . .? Ich meine . . . äh . . . du weißt ja . . . ich hab unheimlich viel zu tun und jetzt vor der Party sowieso . . .«

»Dann sehen wir uns auf der Party, okay?«

Ich zuckte die Schultern, wollte gleichgültig rüberkommen, aber meine Schultern fühlten sich furchtbar steif an, als ich sie hochzog, und ich hatte das Gefühl, jemand hätte mich an einem Kleiderbügel aufgehängt. »Ja, bis zur Party!«, brachte ich dann noch zustande.

Er lächelte und nickte und dann drehte er sich um. Er. Nicht ich. Ich starrte ihm nach, unfähig, mich zu rühren.

»He . . .!« Vivian stand plötzlich vor mir. Ich hatte sie überhaupt nicht bemerkt. »Oh . . . Mister Wonderful!« Spöttisch zog sie die linke Augenbraue hoch. Mit dem räudigen Haarschnitt und den bunten, schrill kombinierten Klamotten sah sie ziemlich angriffslustig aus. »Hast du es etwa auf ihn abgesehen?«

»Er ist ziemlich nett«, sagte ich. Oh Gott, wie das klang!

»Das finden fast alle. Da bist du nicht die Einzige, Ziska. Übrigens gehören seinem Vater hier ziemlich viele Grundstücke. Und das Haus der Schneidbrenners ist fast so groß wie unsers.« Sie grinste mich wieder an und bemerkte: »Er spielt in einer anderen Liga, Ziska! Bis dann und üb schön!« Sie stapfte in ihren Boots in Richtung Ausgang davon.

Üben! Übt ihr mal, wollte ich ihr nachrufen, aber ich brachte kein Wort heraus. Ich war wirklich sprachlos. Manchmal waren mir die Mädchen immer noch ein Rätsel. Wir verstanden uns zwar und sie hatten mich in der Zwischenzeit auch schon ein paarmal zu sich nach Hause eingeladen – wohingegen sie sich nie beschwerten, dass ich mich dafür noch nie revanchiert hatte! –, aber hin und wieder waren sie mir gegenüber doch noch ziemlich gemein. Wieso gönnten sie mir Maurice nicht? Sie hatten doch Ruben und Nils und wie hieß er noch? Til und Paul . . .

Niedergeschlagen ging ich nach Hause.

Meine Eltern wollten mich nicht zur Party gehen lassen.

»Da wird getrunken, Liebes«, sagte meine Mutter und sah mich besorgt an. »Und du weißt, was letztes Mal . . .«

Ja, klar wusste ich, was passiert war! Die Sache mit dem Auto würde ich mein ganzes Leben nicht mehr vergessen.

»Da gibt's doch keinen Alkohol . . .«, versuchte ich es, dabei stimmte es ja gar nicht.

»Alkohol und Drogen!«, warf mein Vater ein.

»Das ist doch eine Schulparty! Da wären doch gleich die Bullen da!«

»Die Polizei kann dich verklagen, wenn du sie so nennst!«

»Ach . . .« Wie mich mein Vater nervte. Immer hatte er Bedenken wegen irgendwelcher Gesetze und Verbote. Als habe er ständig einen Polizisten im Nacken, der ihn beim ersten Vergehen ins Gefängnis stecken würde.

»Doch, Franziska. Und gerade du solltest sehr genau aufpassen mit dem, was du sagst. Du bist noch glimpflich davongekommen. Beim nächsten Mal wird das bestimmt nicht so sein.«

Ich wollte nicht mehr an diese blöde Mutprobe erinnert werden! »Ihr müsst euch keine Sorgen machen. Auf diesen Sommerpartys geht alles ganz harmlos zu. Und außerdem sind doch Lehrer dabei.« Nein, ich glaubte nicht, was ich sagte. Da hatte ich schon ganz andere Sachen gehört. Die Veranstaltung wurde zwar von der Schule organisiert, aber was dann ein wenig weiter abseits am Seeufer passierte, das folgte nicht mehr den Regeln der Lehrer.

»Du gehst nicht«, sagte meine Mutter mit versteinerter Miene. Und mein Vater nickte.

»Das meint ihr nicht ernst!«, brachte ich schließlich hervor. »Das könnt ihr nicht ernst meinen! Wollt ihr mich für immer einsperren, oder was?« Ich fing an zu toben.

Zuerst versuchten mich meine Eltern durch Zureden zu beruhigen. Aber das half nichts. Dann stellten sie eine Bedingung: Ich müsste um zwölf zu Hause sein und dürfte keinen Tropfen Alkohol trinken.

Sie ließen nicht mit sich handeln und am Ende sagte ich Ja. Dabei wollte ich doch gar nicht trinken. Ich wollte einfach nur die Party unter dem Sternenhimmel genießen. Mit Maurice.

13

Wie ist es?«, fragt Leonie noch mal.

Das Bootshaus hat nichts von seiner Bedrohung verloren.

»Ein bisschen gruselig.«

»Finde ich auch. Willst du denn wirklich da rein?«

Ich nicke, dabei ist auch mir mulmig zumute. Dadrin lauert etwas, die Erinnerung oder . . . oder das schwarze Loch in meinem Gedächtnis. Ich weiß nicht, wovor ich mich mehr fürchte.

Ich rüttle an der Tür des Bootshauses. Abgeschlossen.

Leonie hält meinen Arm fest und sieht mich eindringlich an. »Ziska!«

»Ja?«

Sie schluckt schwer. »Warum . . . warum gehen wir nicht einfach zurück? Du musst da nicht rein . . . Warum . . . warum akzeptierst du nicht, dass man dir nichts nachweisen kann? Okay, vielleicht warst du es ja auch nicht. Noch besser.«

Einen Moment lang ist es ganz still, keine Vogelstimmen, nichts. Als wäre die Zeit stehen geblieben, um meine Antwort zu hören. »Ich sag's dir, Leonie: Ich will die Wahrheit, denn wenn dieser Kommissar Winter mich einbuchtet, dann will ich wenigstens wissen, warum ich es getan habe! Oder . . .« Ich zögere.

»Oder?« Sie lässt meinen Arm los. »Du denkst immer noch an Claude?«

»Ja«. Ist es richtig, dass ich einen anderen Schuldigen suche, nur damit ich mich nicht zu meiner Schuld bekennen muss? »Leonie, du weißt nicht, wie das ist, wenn man sich selbst so sehr . . . so sehr hasst.«

Sie nickt langsam, dann bückt sie sich und hebt den Geranientopf hoch, der auf dem abgesägten Baumstamm steht. »Probier's mal damit.« Der Schlüssel blitzt in den Strahlen der nun schon tiefer stehenden Sonne auf.

»Woher weißt du . . .«, frage ich überrascht und überlege, ob auch ich gewusst habe, wo der Schlüssel lag, und es nur vergessen habe.

»Ist kein Geheimnis. Wissen sicher alle, die einen Rettungsschwimmer kennen.«

Das sind eine Menge Leute.

»Wie bin ich eigentlich damals ins Bootshaus gekommen?«, frage ich und stecke den Schlüssel ins Schloss.

»Die Polizei hat gesagt, es war aufgeschlossen.«

»Hat man den Schlüssel schon immer unter diesem Blumentopf versteckt?«

»Keine Ahnung, warum willst du das wissen?«

Ja, warum will ich das wissen? »Weil ich nicht weiß, wie ich mit Maurice da reingekommen bin.«

»Ihr habt aufgeschlossen, hat jedenfalls die Polizei gesagt.«

Knarrend geht die Tür auf und Dunkelheit gähnt uns wie ein Schlund entgegen.

Leonie schnuppert. »Puh, das stinkt.«

Algen und feuchtes Holz. An den Geruch erinnere ich mich.

Er hat mich nachts im Gefängnis heimgesucht. Ich habe nach Luft gerungen und bin zum Fenster gestürzt, habe an den Eisenstäben gerüttelt und wollte mit der Faust die Fensterscheibe einschlagen. Aber sie war zu weit hinter den Git-

tern. Natürlich, sonst hätte ich sicher eine Glasscherbe genommen . . .

»Und . . .«, Leonies Stimme zittert, »erinnerst du dich an
was?«

Ich drehe mich zu ihr um, sie ist in der Nähe der Tür stehen
geblieben.

14

Vergangenheit

Und, wie ist es?«, fragte Maurice und meinte das Sandwich mit Bratwurst, das er mir vom Grill mitgebracht hatte. Seine dunklen Augen sahen mich an und ich antwortete: »Das Beste, was ich je gegessen habe!« Er lachte und ich lachte auch und dann schlenderten wir nebeneinanderher über die Wiese, die langsam feucht wurde, ich spürte die Grashalme an meinen nackten Beinen, während sich über uns der Himmel allmählich orange färbte. Die Musik aus den Lautsprechern erfüllte den ganzen Raum zwischen der Wiese und dem Himmel und ab und zu wehte ein leiser kühler Hauch vom See heran und brachte einen Geruch von modrigem Tang mit, der sich mit dem würzigen des großen Schwenkgrills über dem Holzkohlefeuer vermischte.

Obwohl sicher mindestens hundert Leute da waren, hatte ich das Gefühl, ganz allein mit Maurice zu sein.

Leonie, Vivian und Maya spielten ein paar alte Instrumentalstücke oben auf der Bühne. Danach würden sie Pause machen und anschließend würde ich unsere neuen Songs singen.

»Bist du aufgeregt?«, fragte Maurice in dem Moment.

Wirke ich so? Wie peinlich, dachte ich. »Wieso?«

»Na ja, vielleicht ein bisschen Lampenfieber . . .?«

»Ach das?«, ich lachte erleichtert. »Ja, ein kleines bisschen schon. Vor Englischtests hab ich aber viel mehr Bammel.«

Er lachte auch und dann bissen wir in unsere Sandwichs

und ich dachte, das ist der glücklichste Moment in meinem Leben.

»Sag mal«, fing er an, »kann es sein, dass Leonie nicht will, dass du dich mit mir triffst?«

Ich verschluckte mich beinahe. Daran wollte ich überhaupt nicht erinnert werden. Vor allem nicht in diesem Moment, in dem sich alles so gut anfühlte. »Na ja, sie ist ein bisschen eifersüchtig, glaub ich«, sagte ich. Ich wollte sie ja nicht bloßstellen.

Er nickte. »Wir hatten mal kurz was miteinander«, sagte er. »Aber nur sehr kurz, zwei Wochen, um genau zu sein.«

Ich nickte wieder und biss in mein Sandwich, um nichts sagen zu müssen.

»Ich hab mit ihr Schluss gemacht, aber sie behauptet, ich würde ihr hinterherlaufen.«

»Warum sagst du ihr das nicht?«

Er stöhnte. »Wie lange kennst du sie?«

»Seitdem ich in der Band mitspiele.« Ich rechnete zurück. Ich hatte mitten im Schuljahr die Schule gewechselt. »Seit vier Monaten.«

»Hm. Und wie findest du sie?«

Ich zögerte. Warum fragte er mich das? »Wieso reden wir eigentlich über Leonie?«, fragte ich.

Er holte Luft und sah hinauf in den Himmel, dann zu mir. »Weißt du«, sagte er nachdenklich, »dass ihre Schwester schon mal versucht hat, sich umzubringen?«

Nein, das wusste ich nicht.

»Sie war gerade mal zwölf oder so.«

Wieder zögerte er und sah zur Bühne hinüber, wo Leonie gerade ans Mikro trat und anfing zu singen. »Ich habe Angst, dass sie auch . . .«

»Dass sie sich umbringen will?«

Er nickte. Leonie spielte gerade ein Solo. Und das gar nicht mal schlecht. »Also hast du aus Rücksicht nie was gegen sie gesagt?«

»Ja.«

Da spürte ich seine Hand auf meiner. »Nicht ärgern.« Er lächelte mich an und meine Wut löste sich auf, verpuffte einfach in der warmen Abendluft. »Meine Mutter ist auch so. Beim kleinsten Widerspruch glaubt sie schon, man liebt sie nicht mehr. Und mein Bruder . . .« Er stöhnte und machte eine wegwerfende Handbewegung. »Familie kann einen ganz schön stressen.«

»Hm«, machte ich und zerknüllte die Serviette. »Und jetzt bist du also gezwungen, immer Ja zu allem zu sagen?«

»Nein«, sagte er und lachte wieder. »Natürlich nicht. Man darf es ihnen halt nur nicht immer so direkt sagen.«

Plötzlich wollte ich weg. Ich wollte nicht mehr über Leonie reden. Ich wollte Leonie nicht mehr in meinem Leben! Und Vivian und Maya auch nicht. »Weißt du, was supercool wäre?«, fragte ich und sah ihn an.

»Was?« Seine Augen blitzten unternehmungslustig.

»Auf den See rauszurudern. In der Nacht.«

Er grinste. »Stimmt. Könnte Spaß machen.«

»Ich weiß nur nicht, wo wir ein Boot herkriegen.«

»Ich besorg uns eins.«

»Wirklich?«

»Klar. Wenn ich es sage.«

Seines war das schönste Lächeln, das ich bisher gesehen hatte. Ich war so glücklich. Ich hatte das Gefühl zu leuchten. War ich tatsächlich verliebt?

»He, was ist?«, fragte er und sah mich an.

»Nichts! Überhaupt nichts!«, rief ich und strahlte ihn glücklich an.

»Ich glaube, du musst auf die Bühne!«

Da sah ich Vivian und Maya wild in meine Richtung gestikulieren.

»Also dann, viel Glück! Bis später!« Und da hauchte er mir ganz schnell einen Kuss auf die Wange.

Ich riss mich los und taumelte wie benommen auf die Bühne zu.

Das war die beste Sommerparty der Welt! Unter mir ein wogendes Meer aus Feuerzeugen, sich wiegenden Körpern, glücklichen Gesichtern. Die Bühne leuchtend blau wie ein exotischer Käfer in der Sommernacht. Ich fühlte mich so gut! Ich gehörte dazu! Ich hatte es geschafft!

Alles soll so bleiben,
Keiner geht fort.
Frühling, Sommer,
Herbst, Winter.

Du und ich,
ich und du,
Die Sterne, der Mond,
die Sonne, das Meer.

Und ganz vorn, an der Seite, da stand er, Maurice, und sah zu mir mit glänzenden Augen herauf. Ich sang für ihn. Nur für ihn. Noch nie habe ich so viel empfunden beim Singen.

Plötzlich war Leonie neben mir am Mikrofon und sang mit. Das war zwar nicht abgesprochen, aber okay, die Stimmung war gut, warum nicht? Die Menge klatschte und johlte und Leonie und ich sangen zusammen weiter.

Ich weiß nicht, wie es kam, aber als der letzte Ton verhallt war, in diesem kurzen Moment der Stille, sang ich noch einmal die letzte Strophe. A capella, ohne Musikbegleitung. Einfach so.

Du und ich,
ich und du,
Die Sterne, der Mond,
die Sonne, das Meer.

Danach breitete sich eine geradezu heilige, andächtige Stille aus. Nur die Feuerzeuge flackerten in der Dunkelheit wie Hunderte von Kerzen. Dann kam der Refrain.

Sie brauchten keine Aufforderung. Es kam aus ihnen heraus. Sie sangen mit. Mehr als hundert Schüler und Schülerinnen aus meiner Schule sangen mit mir mit. Und Maurice.

Du und ich,
ich und du,
Die Sterne, der Mond,
die Sonne, das Meer.

Ein Schauder überlief meinen Körper. Etwas Wunderbares, Großartiges geschah gerade. Das Universum umfing uns alle, ich fühlte mich . . . unsterblich.

Ich und du
Du und ich
Erst wenn die Sterne verschwinden,
Gehen auch wir

... verhallte in der Nacht ... und in der Welt ... einen Atemzug lang, dann brach der Applaus aus. Das Klatschen und Johlen nahm kein Ende, es schallte über die Wiese zum See und echote in den Bergen – so kam es mir vor. Ich war überwältigt. Noch nie hatte ich Menschen so begeistert. Ich hatte sie glücklich gemacht! Ich! Franziska Krause, die von der Tankstelle!

Ein Schlagzeugwirbel erklang, ein Bluesrhythmus von Mayas Bassgitarre, und als Leonie auf der Gitarre die ersten Töne spielte, sang ich unseren Blues: Into The Wild.

Wieder brandete Applaus auf und dann sprangen die Ersten auf die Bühne und wir umarmten uns und Maurice war irgendwann da und küsste mich. Und ja ... dann drückte mir jemand eine Flasche in die Hand und wir stiegen von der Bühne hinunter auf die Wiese, wo alle nun zur Musik aus den Boxen tanzten und wo uns die Dunkelheit umhüllte. Ich tanzte mit Maurice und irgendwann kam Maya und brachte uns ein paar Flaschen und ein paar Pillen. Ich fragte nicht mal, was die kleinen blauen Schmetterlinge waren, sondern schluckte sie wie auch Maurice und Maya und Vivian, die ihren Arm um Leonies Hals geschlungen hatte, als müsse sie sich daran festhalten. Einen kurzen Moment dachte ich an die Mutprobe und daran, nie wieder so etwas zu tun, dann sah ich auf die Uhr, es war halb eins, ich hätte schon seit einer halben Stunde zu Hause sein müssen, doch dann erfüllte mich eine wunderbare Wärme, die wie eine glutrote Sonne in mir aufstieg, und ich sah mich selbst so wundervoll rot glühen, da, in der Nacht, und Maurice glühte auch, in einem strahlenden Orange, und noch immer hallte mein Song, drang hinaus in die Welt ...

».. . Boot«, hörte ich Maurice sagen. Da erinnerte ich mich und ich sah uns beide schon als rot und orange glühende Körper über den schwarz glänzenden See schweben.

»He, du wirst doch jetzt nicht abhauen wollen!« Leonie! Ihr Kopf erschien mir als gelber Lampion, irgendwie war mir ein bisschen schwindlig, aber es war schön; so, genau so musste es sich anfühlen, auf einer Wolke über den Himmel zu schweben.

»Doch!«, hallte meine Stimme seltsam in die Nacht.

Maurice' Arm hielt mich und ich spürte seine Wärme und wir wandelten über die Wiese hinüber in die dunklen Schatten der Bäume. Ich fühlte mich wie eine Fee, die über ein Märchenland schwebt, so leicht, so unsterblich, so schön und glücklich.

Plötzlich erhob sich vor uns etwas Großes, Dunkles. Erst auf den zweiten Blick erkannte ich das Bootshaus. Die in der Dunkelheit der Nacht schwarz wirkenden Holzbalken, die Blumentöpfe.

Doch da war noch etwas. Etwas, das nicht dahin gehörte. *Das ist nicht richtig,* dachte ich. Irgendetwas stimmte nicht. Ein Geräusch, das nicht hierhergehörte? Ein Geruch? Ich kam nicht drauf und dann waren wir auch schon drin im Bootshaus und ich war mit ihm allein und nur das zählte noch.

15

Etwas stimmte nicht«, murmle ich und Leonie sieht mich fragend an. Meine Augen haben sich ein bisschen an das dämmrige Licht hier im Bootshaus gewöhnt.

»Was?«

Wenn ich das wüsste!

»Das ist nicht richtig, hab ich gedacht, etwas stimmt nicht. Aber ich hab keine Ahnung, was ich damit gemeint habe.« Suchend sehe ich mich um, als ob die Antwort hier irgendwo geschrieben stünde.

»Bestimmt hat Maurice dir etwas gesagt, was du nicht richtig fandest«, sagt Leonie, noch immer die Nase rümpfend. »Er wollte was von dir, ist doch klar.« Sie lässt ihren Blick durch das Bootshaus schweifen, als verberge jede dunkle Ecke ein abstoßendes Geheimnis. »Ziska, es war eine warme Sommernacht, Superstimmung, ihr wart allein, ihr hattet getrunken und was eingeworfen«, sie sieht mir tief in die Augen. »Jeder Typ hätte das gewollt.«

Ich denke nach. War es so gewesen? Ich versuche, mir Claude hier vorzustellen. Ist er reingekommen? *Ach da bist du, ich hab dich überall gesucht, Maurice! Schämst du dich nicht, dich als der Mustersohn zu geben, während sie mich verstoßen? Du bist ja auch nicht gerade die Unschuld vom Land . . .*

Nein, ich erinnere mich nicht. Aber Maurice . . . Maurice ist einen Moment rausgegangen. Ja . . . ich hab gedacht, er müsste mal . . . wie lang war er weg? Lang genug für ein paar

Sätze mit seinem Bruder? Dann kam er wieder rein und küsste mich. Schließlich bückte ich mich nach dem Ruder, weil wir ja mit dem Boot fahren wollten – und dann . . . dann kam Claude rein und hat seinen Bruder erschlagen. Und ich flog an die Wand eines anderen Bootes und hatte einen Blackout. Als ich wieder zu mir kam, war Claude weg, ich hatte das Ruder in der Hand und Maurice war tot.

Ist es so gewesen?

Mit einem leise schmatzenden Geräusch schwappt das Wasser gegen zwei grün-weiß gestrichene Ruderboote, die vor uns im Wasser liegen. Mein Blick fällt auf die Ruder und ich zucke zusammen. Leonie hat es bemerkt, sagt aber nichts.

Die Polizei hat das Ruder, das ich damals in der Hand gehalten habe, nach Fingerabdrücken untersucht. Man hat unzählige gefunden, von Leuten aus dem Verein, von unserer Schule, manchmal wurden die Boote auch an Touristen vermietet – also keine Chance, darüber den Täter identifizieren zu können.

Ich gehe über den knarrenden Holzboden zum hinteren Ende des Bootshauses. »Der Mond hat auf dem Wasser geglitzert, ist wie silberne Scheibchen da auf den kleinen Wellen geschwommen.« Ich habe die Augen geschlossen und sehe es vor mir. Ganz leise höre ich Musik und Lachen von der Wiese heranwehen. Ich mache die Augen auf. Leonie steht noch immer da an der Tür. »Ich habe mich gebückt und das Ruder aufgehoben und seitlich war da plötzlich ein Lichtreflex.«

Leonie stöhnt. »Ziska, es gab aber kein Gewitter . . . und auch kein Feuerwerk.«

»Ja«, seufze ich. »Ich weiß.«

»He, es war wahrscheinlich eine Taschenlampe. Maurice

hatte ganz bestimmt eine Taschenlampe dabei. Erinnerst du dich nicht? Beim Konzert hatten sie alle Feuerzeuge angezündet. Manche hatten aber auch Taschenlampen.«

»Ja«, sage ich enttäuscht. Was habe ich erwartet? Dass mir plötzlich einfällt, wie Claude mit der Taschenlampe reinkam und Maurice das Ruder über den Schädel schlug?

»Was ist, sollen wir langsam gehen?«, fragt Leonie und schlingt fröstelnd die Arme um sich. »Ist nicht gerade besonders gemütlich hier.«

»Ja, gehen wir«, seufze ich und gehe zum Ausgang. Warme, frische Luft strömt durch die geöffnete Tür herein. Ich bleibe vor der Schwelle stehen und drehe mich zu Leonie.

»Was?«, fragt sie.

»Ich hatte eine Verletzung am Kopf.« Als spürte ich sie immer noch, greife ich mir an die Schläfe. Die Kopfschmerzen sind zu einem dumpfen Pochen geworden. »Ich bin an ein Boot geknallt. Wahrscheinlich hatten wir einen Kampf, hat die Polizei gesagt, eine Auseinandersetzung.« Ich rede wie im Fieberwahn. »Wenn ich nur wüsste, warum. Wenn ich doch nur wüsste, was genau passiert ist, nachdem Maurice wieder zurück ins Bootshaus gekommen ist. Ich kann mich verdammt noch mal einfach nicht mehr erinnern!« Meine Stimme ist schrill geworden und ich halte einen Moment inne. »Und wenn es doch Claude war?«, flüstere ich leise und höre, wie verzweifelt ich klinge.

Leonie bläst sich eine Strähne aus der Stirn. »So was wie Kain und Abel in der Bibel?«, sagt sie und mir entgeht nicht die Ironie in ihrer Stimme.

Kain hat seinen Bruder erschlagen, weil Gott die Opfer von Abel denen von Kain vorzog, fällt mir ein.

»Ja . . . Eifersucht und Neid als Motiv.«

Leonie mustert mich. »Warum hörst du nicht auf damit, Ziska. Claude hat ein Alibi. Ein ziemlich lupenreines. Ziska . . .« Kopfschüttelnd betrachtet sie mich, als sei ich jetzt wirklich völlig durchgeknallt. »Tu dir endlich einen Gefallen . . . und sieh nach vorn, nicht zurück!«

Ich merke, wie Leonie allmählich die Geduld mit mir verliert. Frustriert sehe ich nach draußen, wo die Sonne scheint. »Ich weiß nicht, ich bin . . .«, ich muss schlucken, ». . . so . . .«

»Verzweifelt?«

»Ja.« Alles erscheint mir so sinnlos. Maurice ist tot und er wird nie wieder lebendig. Wir werden nie wieder über eine Wiese schlendern, ich werde nie wieder seine weiche Haut spüren und ihn nie wieder küssen. Ich werde nie wieder glücklich sein.

Leonie legt den Arm um mich und wir gehen über die Schwelle nach draußen. Die Wärme tut gut. Ich sehe nicht mehr zurück zum Bootshaus. Schweigend gehen wir zum Auto.

Plötzlich bleibt sie stehen. »Ziska, ich muss dir was sagen.«

»Was?« Was kommt jetzt? Kann mich noch irgendetwas erschüttern?

Ihr Blick wird skeptisch. »Sag mal, du erinnerst dich wirklich nicht an die Postkarte von Maurice, oder?«

»Welche Postkarte?«

16

Er hat mir nie eine Postkarte geschrieben. E-Mails schon. Aber so was Altmodisches wie eine Postkarte . . .

»Jetzt sag schon, was du meinst!«

»Zu Hause.«

Während der Fahrt reden wir kein einziges Wort. In meinem Gehirn torkelt das Wort Postkarte herum, ohne irgendeine Erinnerung freizuschalten. Posttraumatisches Belastungssyndrom mit Amnesien, habe ich Dr. Pohlmanns Diagnose im Ohr. Gedächtnislücken. Bisher hab ich geglaubt, die Lücke bezieht sich nur auf die wenigen Minuten im Bootshaus. Aber wer weiß. Die Seele schützt sich, indem sie vergisst . . .

Wer bin ich? Ich habe keine Ahnung. Das Bootshaus, die Erinnerung an Maurice, all das war zu viel. Etwas in mir hat abgeschaltet, ist abgestürzt. Alles um mich herum scheint so weit weggerückt. Als sei ein Teil von mir auf einem unteren Spiellevel zurückgeblieben.

Leonie parkt vor dem Haus, ich laufe hinter ihr die Stufen zu ihrem Zimmer hoch. Mechanisch bewegen sich meine Beine, irgendetwas hat ihnen befohlen, die Treppe raufzugehen. Und dann ist da diese unendliche Müdigkeit, die alles in mir lähmt. Ich will nur noch schlafen, fliehen in die Dunkelheit des Vergessens.

»Ziska!« Ich erschrecke. Leonie hat sich zu mir umgedreht und sieht mir fest in die Augen. »Ziska, ich will dir nicht wehtun, das musst du mir glauben. Aber . . . aber es könnte einen Grund geben, dass du es getan hast.«

»Maurice erschlagen?«, frage ich matt. Diesmal zucke ich bei den Worten noch nicht mal mehr zusammen.

»Ja.« Sie geht zum Bücherregal, das die Hälfte der linken Zimmerwand einnimmt. Vor den Büchern stehen Glasfigürchen und ein paar gerahmte Fotos.

Sie atmet tief durch. »Bist du sicher, dass du . . . dass du die Wahrheit ertragen kannst?«

Die Wahrheit? Das Wort rüttelt mich auf. Leonie kennt die Wahrheit? »Ertragen? Leonie, ich WILL die Wahrheit! Deshalb bin ich hergekommen! Ich will Licht in diese dunkle Kammer in meinem Hirn bringen!«

In ihrem Blick liegt auf einmal etwas Sorgenvolles und Mitfühlendes.

»Aber es könnte wehtun, sehr weh . . . und dir etwas nehmen . . . etwas . . .« Sie bricht ab und schüttelt den Kopf. »Ich weiß nicht, Ziska, ob ich dir wirklich . . .«

»Jetzt mach schon!«, schreie ich sie an und merke, dass ich sie an den Armen gepackt habe und schüttele. »Entschuldige«, murmle ich erschrocken und lasse sie los. Gott, ich bin wirklich total durch den Wind. »Bitte, Leonie, ich muss es wissen. Egal, was es ist.«

»Okay«, sagt sie schließlich. »Aber . . . das, was ich dir jetzt zeige, darf nichts an unserer Freundschaft ändern! Es war nicht meine Schuld. Das musst du mir glauben.«

»Ja!«

»Versprich's mir!«

»Ich versprech's dir! Jetzt mach schon!«

Sie nimmt zwei ihrer Harry-Potter-Bände aus dem Regal und greift dahinter. Sie zieht ein mit Muscheln besetztes Kästchen hervor.

Wir setzen uns auf ihr Bett. Das taube Gefühl ist wie

weggeblasen und ich fühle wieder die altvertraute Angst in mir.

Sie nimmt die Kette vom Hals und jetzt sehe ich den kleinen goldenen Schlüssel daran baumeln. Sie steckt ihn ins Schloss und dreht ihn.

Die Schatulle ist mit rotem Stoff ausgeschlagen. Ganz obenauf liegt eine Postkarte. Wortlos reicht sie sie mir.

Es ist eine dieser kostenlosen, die in den Cafés und Kneipen in Ständern hängen. Die Karte zeigt auf schwarzem Hintergrund ein Martiniglas mit einer roten Flüssigkeit und einer auf den Glasrand gesteckten halben Zitronenscheibe.

»Du kannst dich wirklich nicht daran erinnern?«, fragt sie und sieht mir fest in die Augen.

Stumm starre ich auf die Karte in meinen Händen. Ich habe sie noch nie gesehen. »Nein.«

»Dreh sie um«, sagt Leonie.

Auf der Rückseite steht in blauer Kugelschreiberschrift:
Freu mich auf die Nacht mit dir.
Maurice

Mein Herz setzt einmal aus. Ich atme nicht. Das ist nicht real, sagt mir eine Stimme. Doch in meinen Händen liegt die Postkarte.

»Na und«, sage ich möglichst unbeeindruckt, »er hat mir nicht verschwiegen, dass ihr mal zusammen wart. Ein oder zwei Wochen oder so.«

»Dann sieh doch mal aufs Datum.«

14. Juli. Das war ein Tag vor der Abschlussparty am See. Ein Tag vor seinem Tod. Ein Tag, bevor ich ihn mit dem Ruder . . .

Etwas drückt mir den Hals zu. Mein Herz stolpert. Mein Mund ist schlagartig trocken, dass mir die Zunge am Gaumen klebt. Ich will aufstehen, rausrennen, irgendwohin, doch da dreht sich alles, ich taumle zurück aufs Bett.

»Ich versteh nicht . . .« Ich schlucke gegen diese Trockenheit in meinem Mund an und gebe Leonie die Karte zurück. Meine Hand zittert.

»Ich hab dir die Karte auf der Sommerparty gezeigt. Gleich nach dem Konzert. Mensch, du hast nur noch ihn angehimmelt!« Leonie zuckt die Schultern. »Ich konnte nicht anders. Ich fand das so gemein von ihm. Ich hab ihn abblitzen lassen, hab ihm gesagt, was für eine fiese Tour das mit der Postkarte ist, und dann hat er sich an dich geklebt.«

Alles in mir weigert sich, das zu glauben. »Nein, Leonie, das kann nicht sein. Maurice war nicht so.«

»Du kanntest ihn doch gar nicht richtig! Ziska! Glaub mir, Maurice war nicht der, für den du ihn gehalten hast. Er hat sich schon immer einfach genommen, was er haben wollte. Und wenn er dann keinen Bock mehr hatte, hat er einen einfach links liegen lassen.«

Ich registriere die Wut in Leonies Stimme. Scheinbar hat es damals ziemlich an ihrem Stolz gekratzt, als Maurice mit ihr Schluss gemacht hat. Nein, es war bestimmt nicht die Wahrheit, das war nur ihre verletzte Eitelkeit! »Nein«, spreche ich meine Gedanken laut aus, »das glaube ich dir nicht! Maurice kann sich nicht so verstellt haben!«

»Mensch, Ziska! Du hast doch gesagt, dass du wissen willst, warum du es getan hast. Hier ist der Grund!« Sie tippt mit dem Finger auf die Postkarte in meiner Hand. »Hast du nicht erzählt, dass dein Gehirn den schlimmsten Moment einfach gelöscht hat? Das war so ein schlimmer Moment! Du hast dich betrogen gefühlt! Du warst total wütend!«

»Nein! Du willst mir was einreden! Ich erinnere mich ganz

genau an die Minuten nach dem Konzert ...«, sprudelt es aus mir heraus und ich frage mich, warum sich in mir leise Zweifel breitmachen.

»Will ich nicht! Ich will dir helfen, die Wahrheit zu finden, kapier das doch endlich!«

Leonie ist laut geworden und ich zucke zusammen. Noch einmal drehe ich die Postkarte um und starre auf den Text, dann wieder auf das Datum. Ich verstehe gar nichts mehr.

Leonie hat Tränen in den Augen.

»Ziska, ich verstehe dich ja. Es ist so verletzend, belogen zu werden.« Ihre Hand legt sich auf meinen Arm. »Es tut mir so leid für dich«, sagt sie leise.

Ich will es nicht glauben, will es nicht sehen, aber wie ein Puzzlestück, das man tagelang verzweifelt gesucht hat, fügt sich ein Detail zum andern. Und plötzlich habe ich das ganze hässliche Bild vor mir.

»Aber warum hast du mich nicht an die Postkarte erinnert, als ich festgenommen wurde?«, will ich wissen.

»Ziska! Erstens wusste ich nicht, dass du dich nicht mehr daran erinnern kannst, und zweitens wollte ich dich nicht belasten. Stell dir doch mal vor: Du hättest ein astreines Motiv gehabt!«

Ich nicke benommen. Klar. Mord aus Eifersucht. Kommissar Winter wäre zufrieden gewesen.

»Es tut mir so leid«, sagt Leonie leise. »Ziska ... ich, ich fühle mich auch schuldig. Ich hätte dir die Postkarte damals nicht zeigen dürfen!«

Die Seele schützt sich, indem sie vergisst. Ich wollte mir die Liebe von Maurice bewahren.

Irgendwie bin ich froh, dass sie nichts mehr sagt, sondern mich einfach nur in die Arme nimmt.

Manche Entscheidungen brauchen ewig, manche fällt man in Sekunden.

»Ich reise ab, Leonie«, sage ich. »Gleich morgen.«

Leonie reißt überrascht die Augen auf. »Bist du sicher? Willst du denn nicht zur Sommerparty bleiben? Ziska, du solltest darüber hinwegkommen! *Wir* sollten darüber hinwegkommen! Nach vorne blicken! Du bist siebzehn, Mensch, du solltest das Leben genießen!« Sie sieht mich aufmunternd an.

Ich seufze nur. Das Karussell in meinem Kopf ist stehen geblieben. Auf einmal macht alles Sinn. Auf einmal gibt es einen Grund, weshalb ich es getan habe. Es ist seltsam, aber ich fühle so etwas wie Erleichterung.

»Weißt du, was ich jetzt damit mache?« Immer noch hält sie die Postkarte in der Hand.

»Du gehst zur Polizei . . .«, sage ich emotionslos.

»Ziska, so ein Quatsch!« Mit einer langsamen Bewegung zerreißt sie die Karte. Erst einmal in der Mitte, dann noch mal und noch mal. Die bunten Schnipsel fallen auf den Teppichboden neben die Harry-Potter-Bücher.

Sie lächelt mich an, verschließt das Kästchen wieder, schiebt es an seinen Platz und stellt die Bücher davor. Zuletzt lässt sie die Kette mit dem Schlüssel in ihrem Ausschnitt verschwinden und sieht mich triumphierend an.

»So, Ziska, die Polizei kann dir nichts anhaben. Glaub mir! Wir können neu anfangen. Es wird alles gut.«

Mein Blick fällt auf die Schnipsel. Ich habe mir etwas vorgemacht. Maurice hat mich nicht geliebt. Es war alles nur eine abgedroschene Lüge.

»Ich sollte mich stellen.«

»Bist du verrückt!«, braust Leonie auf. »Willst du dein Leben wegwerfen? Die U-Haft war doch schon die Hölle, oder?«

Ich nicke. Ja, das war sie.

»Du wirst sehen«, sie streichelt mir beruhigend über die Schulter, »es wird alles gut. Keine Panik.«

Tatsächlich überlege ich eine Sekunde, dazubleiben, doch dann steht meine Entscheidung fest. Ich fahre zurück, und zwar nicht erst morgen, sondern heute noch. Ich lasse mich noch einmal in die Klinik einweisen. *So, Dr. Pohlmann, ich bin wieder da, denn ich habe mich erinnert.*

»Weißt du, wann ein Zug zurück nach Köln fährt?«, frage ich.

»Ziska, überleg es dir!«

Ich schüttle den Kopf.

»Na gut«, seufzt sie. »Ich seh im Internet nach. Im Wohnzimmer haben wir einen schnelleren Computer.«

Sie geht und ich bin allein.

Im Türspalt erscheint ein blasses Gesicht. Eine blonde Haarsträhne hängt in der Stirn. Nadia. Sie ist das Negativ – oder Positiv – wie man es sehen mag – von ihrer Schwester.

Mit ihrem schwarzen Top und den schwarzen Jeans sieht sie aus wie der Tod, der mich holen kommt, denke ich.

»Du bist ja ganz schön bescheuert, dich so zu besaufen«, sagt sie und lehnt sich mit verschränkten Armen an die Wand neben der Tür.

»Halt dich da raus, ja, das geht dich überhaupt nichts an«, erwidere ich. Was nimmt sich diese blöde kleine Selbstmörderin eigentlich heraus? Sie hat größere Augen als ihre Schwester und einen herzförmigen Mund, bestimmt laufen ihr alle Typen in der Schule hinterher.

»Kann sein!«, sagt sie schulterzuckend und kaut demonstrativ laut auf ihrem Kaugummi herum. »Warum bist du überhaupt zurückgekommen?«

»Was geht dich das an?«

Sie zögert. Hab ich sie etwa schon eingeschüchtert?

»Du glaubst, du warst es nicht, stimmt's?«, sagt sie und ihre Stimme klingt nicht mehr ganz so forsch.

Ich sage ihr nichts von der Postkarte, die da zerrissen vor mir liegt. »Deswegen bin ich entlassen worden, falls du es nicht mitbekommen haben solltest: Es gibt keine ausreichenden Beweise.«

»Du weißt, dass das nichts heißt.«

»Wie meinst du das?«

Sie starrt mich an, sagt dann langsam: »Man kann trotzdem schuld sein. Oder umgekehrt.«

»Wie?« Ich frage mich, warum wir dieses dumme Gespräch führen.

Nadia schiebt wieder den Kaugummi im Mund herum, eher verlegen als lässig, und sagt: »Schuld sein, ohne dass es Beweise gibt.«

»Was willst du eigentlich von mir?«

Nadia sieht mich weiter an mit diesem erschreckten Blick, als wäre ich vom Mond. »Und wenn sie dich nicht entlassen hätten? Wie viele Jahre hättest du gekriegt?«

»Hör auf damit!« Daran will ich nicht denken. Niemals!

Ihre Arme klammern sich an sich selbst fest. »Stimmt es, dass man nur einmal in der Woche fernsehen darf?«

Ich antworte nicht, will nicht mehr erinnert werden an die Samstagabende im Fernsehraum. Wenn der Fernseher dann wieder ausgeschaltet wurde, fühlte man sich noch einsamer und verlorener.

»Und Computer?«, fragt sie weiter.

»Gibt's keine.«

Nadias Augen haben etwas Totes, finde ich. Wie tiefe Abgründe, in die alles hineinfällt und nichts je wieder herauskommt. Waren die schon immer so?

»Es tut mir leid«, sagt sie leise.

»Was?«

Sie zögert, betrachtet ihre Fingernägel, sieht dann auf. »Damit du's weißt: Leonie ist krank.«

»Wie? Krank?« Gehirntumor, Krebs – spulen sich diese furchtbaren Wörter in meinem Kopf ab.

Nadia schiebt ihren Kaugummi zweimal im Mund herum, tippt sich dann an die Schläfe. »Dadrin.«

»Ach ja?« Ich versuche, mir meine Erleichterung nicht anmerken zu lassen. Diese blöde Schwesternfeindschaft! Ich bin froh, dass ich keine Schwester habe.

»Ja! Es merkt nur keiner.« Auf einmal ist sie wieder so, wie ich sie kenne. Frech und patzig.

»Klar. Aber du! Und du, was bist du?« Ich bin gemein, denke ich noch, doch da ist es schon gesagt.

»Kannst glauben, was du willst«, sagt sie und bläst eine Kaugummiblase und lässt sie platzen. »Ist mir egal.«

»Und was stehst du dann hier rum und verpestest meine Luft?«

»Uh, was für ein cooler Spruch, könnte glatt von meiner Oma sein.«

»Du bist ziemlich unverschämt, hat dir das mal jemand gesagt?«

»Klar, jeden Tag.«

»Ich geb's auf. Gegen so eine Giftspritze wie dich hab ich keine Chance. Aber bitte lass mich wenigstens in Ruhe.«

Lässiges Schulterzucken. »Du solltest echt abreisen.«

»Ach, und wieso?«

Sie hebt die Augenbrauen. »Warum?« Plötzlich flüstert sie.

»Streng mal dein Hirn an. Oder haben sie es dir im Gefängnis mit Elektroschocks weggebrannt?« Sie macht krampfartige Bewegungen.

»Du redest Schwachsinn!«

Ihr Gesicht zuckt und dann werden ihre Augen ganz schmal und bedrohlich. »Ich rate dir zu verschwinden, bevor irgendwelche Beweise auftauchen.«

»He, drohst du mir?«

»Nö.« Sie dreht sich um und geht.

»Mach verdammt noch mal die Tür zu!«, rufe ich ihr hinterher, doch sie hört nicht mehr oder will nicht mehr hören.

Leonie kommt ins Zimmer und sieht sich um, als habe sich irgendwo ein Geist versteckt.

»Deine Schwester war hier.«

»Nadia?«

»Ja, oder hast du noch eine Schwester?«, antworte ich mürrisch.

Leonie verdreht die Augen. »Was wollte die schon wieder?«

»Sie hat gesagt, du bist nicht ganz richtig im Kopf.« Ich weiß, dass ich gerade eine Petze bin.

»Was?« Leonie ballt die Fäuste und wendet sich zur Tür. »Dieses miese Stück, der werd ich's zeigen!«

»Halt, nein!«, bremse ich sie. »Komm, lass sie. Ich glaube, sie hat echte persönliche Probleme.«

Leonie stöhnt laut und wirft die Hände in die Luft. »Denkt die, sie ist die Einzige mit persönlichen Problemen?«

»Sie ist vierzehn!«

»Fast sechzehn! Du hörst dich plötzlich an wie eine Heilige.«

»Ach Quatsch. Ich denke nur, jemand wie sie, der sich umbringen wollte . . .« Rede ich hier nicht gerade auch von mir? Hab ich nicht dieselben Absichten? Gehe ich nicht deswegen wieder in die Klinik?

»Hör mir jetzt damit auf, ja! Kapierst du denn nicht, dass sie mit dieser Drohung alle in der Hand hat? Meine Mutter, Dad, mich – und ja, alle; alle anderen, die davon erfahren, fassen sie mit Samthandschuhen an. Die arme Kleine! Ach Gott, unser armer Liebling! Was hat sie nur? So geht das die ganze Zeit! Und was ist mit mir? Mich kann man ja anschreien und für alles zur Rechenschaft ziehen, aber bitte die arme Nadia doch nicht, sie könnte sich ja etwas antun!«

Sie ist laut – und rot im Gesicht geworden.

Ich greife nach ihrer Hand und halte sie fest. Sie zittert. »Leonie, komm, hör auf, ich verstehe dich schon.«

Leonie reißt sich los. »Du verstehst gar nichts! Neulich hat sie einfach eine Schere genommen und in die Teppiche reingeschnitten! Dann hat sie sich ein paar Bücher im Wohnzimmer vorgenommen und Seiten abgeschnitten, immer die Hälften weg, damit man keinen einzigen Satz mehr lesen konnte! Meine Eltern wollten sie in ein Internat stecken. Ich war diejenige, die sich auf Nadias Seite gestellt hat. ›Nein, sie soll nicht in ein Internat‹, hab ich losgebrüllt, ›sie soll hierbleiben!‹ Und was ist der Dank?« Sie zieht die Nase hoch und schüttelt den Kopf. »Hast du mal ihr Zimmer gesehen? Die ist total durchgeknallt. Ich bin echt voll blöd, dass ich ihr auch noch helfen wollte!«

Ich weiß nicht so recht, was ich sagen soll. Dass Nadia nicht gerade einfach ist, ist mir klar, aber dass sie so merkwürdige Dinge tut . . .

»Tut mir leid, ich wusste ja nicht, was du hier durchmachst.

Aber das ist bei Nadia bestimmt nur eine Phase. Und ... und ich glaub doch gar nicht, dass du krank im Kopf bist.«

Einen tiefen Atemzug lang sieht sie mich an, dann lächelt sie. »Ja, ich weiß, dass du mich verstehst.« Sie seufzt schwer. »Du kannst dir gar nicht vorstellen, wie schrecklich es für mich war, als sie dich eingesperrt haben. Ach, Ziska, es tut mir so leid, dass ich dir all die Monate nur geschrieben habe. Ich weiß nicht, wie ich das jemals wiedergutmachen kann!« Verzweifelt sieht sie mich an.

Ich drücke ihre Hand. »Ich hab mich immer über deine Briefe gefreut.«

Sie kann nur noch nicken, dann laufen ihr die Tränen über die Wangen.

»Ach Leonie«, sage ich. Und endlich muss ich weinen. Nach so langer Zeit brechen sie aus mir hervor, die Tränen, so lange zurückgehalten, werden sie zu Sturzbächen, die sich ihren Weg an die Oberfläche bahnen, endlich aus den Tiefen befreit, reißen sie alles mit sich, das sie aufhalten will. Es gibt kein Zurück mehr. Dieser Gewalt der Entladung kann nichts Einhalt gebieten.

Irgendwann kommen keine Tränen mehr. Die Flüssigkeit ist aufgebraucht. Leonie hält ein Päckchen Tempos in der Hand, zieht ein Taschentuch für sich und eins für mich raus.

Gemeinsam schnäuzen wir und dann müssen wir lachen, weil es uns plötzlich so komisch vorkommt, gleichzeitig die Nase zu putzen.

»Mensch, Ziska, ich hab dich so vermisst. Warum nur ist alles so gekommen?«

»Du glaubst nicht, wie oft ich mich das in der Zelle gefragt hab.« Ich hole Luft. Ich muss raus hier, muss endlich gehen. »Also ... ich pack mal zusammen.«

»Du kapitulierst also einfach so?«

»Ja. Ich war's. Das ist mir in der kurzen Zeit hier klar geworden. Daran kann ich nichts mehr ändern.« Mein Selbstwertgefühl ist auf dem Nullpunkt angekommen. »Und ich hatte schon wieder diesen Blackout. Ich . . . ich kann nicht mehr, Leonie. Ich brauche Hilfe.«

»Aber . . . Ziska . . .« Leonie sieht mich aus ihren großen Augen an. »Du sollst wissen . . . dass . . . egal, was du getan hast . . . du bleibst . . . meine Freundin.«

Sie schlingt mir die Arme um den Hals. »Aber du hast ja vielleicht recht, wahrscheinlich ist es besser, etwas zu akzeptieren, als immer dagegen anzukämpfen, oder?«

In mir zieht wieder dieses lähmende Gefühl herauf. Mein Körper fühlt sich kalt und schwer an. Tief Luft holen. Es geht wieder. »Ich habe keine andere Wahl, wenn ich weiterleben will«, flüstere ich. »Wenn man sich selbst akzeptiert hat, mit all seinen Fehlern«, bringe ich hervor, »wenn man sich selbst liebt, dann erst kann man auch einen anderen Menschen lieben.«

»Ja, so heißt es in der Bibel, aber echt, ich weiß nicht, ob das stimmt.«

»Es stimmt«, sage ich.

Sie seufzt und nickt dann. »Dein Zug geht um zehn heute abend. Wir sollten dann langsam los.«

17

Während Leonie im Bad verschwindet, höre ich Nadia die Holztreppe nach unten gehen. Die Tür von Nadias Zimmer steht einen Spalt offen. *Nadia ist total durchgeknallt! Hast du mal ihr Zimmer gesehen?* Einen Moment zögere ich. »Nadia?« Keine Antwort. Ich klopfe. Nichts. Dann mache ich die Tür weiter auf. Ich zucke zurück. Chaos.

Rötliche Vorhänge filtern das Licht, die letzten Strahlen der untergehenden Sonne tauchen das Zimmer in ein Blutrot. Überall, auf dem ungemachten Bett, auf dem modernen Ledersessel und auf dem schwarzen Teppichboden, liegen bergeweise Kleider, Unterwäsche, Schuhe, als hätte jemand einfach alle Schubladen ausgeleert. Der Schreibtisch mit dem Computer biegt sich unter leeren Bechern, Flaschen und Tellern.

Dann erst sehe ich die Poster. Zuerst denke ich, dass sie von Anfang an so waren, doch dann erkenne ich eines wieder und darauf hat Johnny Depp ganz sicher ein Gesicht. Und nicht nur eine weiße Fläche. Sie hat bei allen Personen die Gesichter mit weißer Farbe übermalt.

»He, wo bist du, können wir gehen?« Ich höre die Toilettenspülung und drehe mich um.

Leonie kommt an die Tür. »Ganz schön krass, was?« Sie lässt ihren Blick über die Poster wandern.

»Warum macht sie das?«, will ich wissen und starre wieder auf die gesichtslosen Poster.

»Warum?« Sie bückt sich, angelt aus dem Kleiderhaufen einen schwarzen BH. »Dieses Biest! Sieh dir das an! Der gehört mir!« Der BH baumelt an ihrem Zeigefinger. »Warum? Weil sie sich wichtigmachen will. Weil sie genau das will, was wir gerade jetzt tun: uns nämlich diese Frage stellen. Sie will im Mittelpunkt stehen. Ganz einfach. Was glaubst du, was mein Dad sich darüber Gedanken macht! Und genau das will sie erreichen. Das ist ihre Methode.« Sie zuckt die Schultern. »Leider ist sie in der Schule eine ziemliche Null. Damit kann sie Dad also auch nicht beeindrucken.«

Leonie war in Mathe sehr gut, so gut wie ich. Sicher ist ihr Dad, der Architekt, wahnsinnig stolz auf sie. *Die arme Nadia,* denke ich. Sie steht wohl in den Augen ihres Vaters immer im Schatten ihrer großen Schwester.

Ich hole meine Tasche aus dem Gästezimmer und sage Leonie, dass ich noch einmal kurz ins Badezimmer muss. Als ich fertig bin, gehen wir schweigend die Treppe hinunter und steigen ins Auto. Als der Kies unter den Reifen knirscht, weiß ich, dass es ein Abschied für immer ist. *Ja, es ist besser so,* denke ich, als ich mich auf dem Beifahrersitz zurücklehne und die Augen schließe.

Ich muss mein Leben in den Griff bekommen. Neu anfangen. Das haben andere doch auch geschafft. Aber bereits im nächsten Augenblick ist mir klar, dass ich mir nur selbst Mut zurede. *Noch nicht mal siebzehn und schon gescheitert . . .,* geht es mir durch den Kopf.

Wir gleiten durchs sommerabendliche Kinding, vor dem *Venezia* sind alle Tische und Stühle besetzt. Es ist noch warm draußen, auf den Tischen stehen Kerzen in kleinen bunten Gläsern. Unvorstellbar, dass es Menschen gibt, die lachen und unbeschwert Eis essen. Und unvorstellbar, dass ich auch mal zu denen gehörte.

»Es wird alles gut, glaub mir«, sagt Leonie und lächelt mir zu. »Es geht vorüber.«

Ich nicke, ohne es zu glauben.

»He, und schick mir deinen neuen Song!«

»Ja, mal sehen.« Meine Songs sind viel zu traurig geworden.

»Dann werden wir an dich denken!«

»Ja.« Ich bin leer. Eine Hülse aus kaltem Metall.

Leonie steuert auf die Bushaltestelle am alten Bahnhof Kinding zu, wo gerade ein Taxi wegfährt, aus dem zwei Mädchen ausgestiegen sind. Vivian und Maya!

»Na?« Leonie grinst mich an. »Überraschung gelungen? Wir können dich doch nicht einfach so gehen lassen!«

»Ach, Leonie, ich weiß gar nicht . . .«

Sie legt mir die Hand auf den Arm. »Sag nichts. Es ist okay.«

Ich nicke, hole Luft und steige aus.

Maya und Vivian fallen mir um den Hals. Ich gehöre zu ihnen, ich wollte es nur die ganze Zeit nicht glauben. Und jetzt steigen mir doch Tränen in die Augen.

»Mach's gut!« Maya gibt mir einen Kuss auf die Wange und Vivian haut mir auf die Schulter. »Die Polizei wird auch jetzt keine neuen Beweise finden. Bestimmt. Und vergiss deine Freundinnen nicht!«

»Nein . . .« Mehr bringe ich nicht heraus.

»Und vielleicht kommst da ja mal wieder . . . «, sagt Maya.

»Vielleicht . . . irgendwann . . .«, sage ich und Leonie seufzt. Hinter ihr sehe ich den Bus einbiegen.

Wir umarmen uns noch einmal, dann hebe ich meine Tasche auf und gehe. Ich lasse mich auf den ersten freien Platz sinken, und obwohl ich weiß, dass es manchmal besser ist, sich nicht mehr umzudrehen, sehe ich doch aus dem Fenster hinaus.

Da stehen sie. Maya, Leonie und Vivian. *The Fling* – ohne mich. Sie schauen zu mir hoch und Leonie hebt als Erste die Hand und winkt. Ich winke zurück, meine Hand fühlt sich schwer und traurig an. Und dann winken auch Maya und Vivian. Vivian versucht ein aufmunterndes Lächeln, Leonie und Maya kriegen es nicht hin. Sie sind erleichtert, dass ich abfahre. Ich kann es ihnen nicht verübeln. Jetzt werden sie nicht mehr jede Sekunde an das, was passiert ist, erinnert.

Als der Bus endlich anfährt, drehe ich mich noch einmal zu ihnen um. Leonies Hand ist in der Luft stehen geblieben, nur Vivian winkt noch weiter. Plötzlich habe ich das Gefühl, sie nie mehr wiederzusehen. Vielleicht ist es ja besser so.

Ich lehne mich zurück und sehe aus dem Fenster. Doch die Sonne ist längst untergegangen und ich sehe in der Scheibe nur die unscharfe Reflexion eines Gesichts. *Das bist du, Franziska, sieh hin, du kannst nichts mehr verleugnen!*, denke ich. Mein Ausflug in die Vergangenheit hat gerade mal vierundzwanzig Stunden gedauert. Vierundzwanzig Stunden, die mich endgültig zur Täterin gemacht haben. *Toll, Franziska, ganz toll!* Was soll ich nur meinen Eltern sagen?

Ich müsste sie eigentlich anrufen und ihnen Bescheid geben, dass ich auf dem Heimweg bin. Aber ich könnte jetzt die Stimme meiner Mutter nicht ertragen, wie sie sagt: »Franziska, um Himmels willen, was ist denn passiert?«

Und ich könnte noch weniger darauf antworten: »Mama, ich war es doch. Ich hab Maurice umgebracht.«

Er wollte nach der Schule auf verschiedenen Baustellen seines Vaters arbeiten. Dann ein halbes Jahr Urlaub machen.

Einfach nur von einem Tag auf den anderen leben. Spaß haben, Menschen kennenlernen. Seine Noten waren überdurchschnittlich, er war nett, hilfsbereit, sympathisch . . . er hätte geheiratet, eine Familie gegründet, Kinder großgezogen . . . und ich habe dieses Leben einfach vernichtet. Mit welchem Recht? Nur weil er Leonie ein Liebesbekenntnis geschrieben hat, während er sich mit mir traf? Er war doch nicht mein Eigentum! Wenn ich nüchtern gewesen wäre, wäre das nie passiert. Niemals!

Auf einmal habe ich das Gefühl, dass all die Menschen im Bus wissen, was ich getan habe. Wie sie mich anstarren! Ich drehe mich wieder zum Fenster, aber mir kommt es so vor, als ob auch die Welt da draußen weiß, was ich getan habe. Dass ich eine Mörderin bin. Jeder Baum, jeder Grashalm scheint mir zuzuraunen, dass ich kein Recht mehr habe zu leben, während Maurice tot ist.

Plötzlich frage ich mich, wie ich mit dieser Gewissheit, dass ich schuld an seinem Tod bin, weiterleben soll. Wie ich meinen Eltern gegenübertreten soll. Wie ich mich jeden Tag im Spiegel ansehen soll. Wie ich . . .

Menschen verschwinden einfach. Verlassen das Haus und kommen nie wieder zurück. Steigen in ein Flugzeug, in einen Zug oder einen Bus und fangen irgendwo ein neues Leben an. Oder beenden es . . .

Die nächste Haltestelle ist Prien.

18

Der letzte Schein der Dämmerung ist inzwischen verloschen. Es ist dunkel. Nur die Straßenlaternen glimmen milchig. Bahnhöfe bei Nacht haben etwas Trostloses. Einsame Menschen, die auf den leeren, windigen Bahnsteigen stehen, schmutzig graue Stahlträger und Mauern – ein Durchgangsort, nicht gemacht zum Bleiben.

Die Frau am Kiosk rollt gerade den Zeitungsständer um die Ecke. Da fällt mein Blick durch das offene Verkaufsfenster zu den kleinen Whisky- und Cognacflaschen. Selbstständig, als wäre ich nicht mehr Herr meiner Sinne, langt meine Hand durch die Öffnung und schnappt sich vier, nein fünf Whisky-Fläschchen. Blitzschnell lasse ich sie in meine Umhängetasche gleiten und drehe mich um. Ohne Notiz von mir zu nehmen, geht die Frau an mir vorbei und schiebt den Ständer mit den Postkarten nach hinten.

Vor dem Bahnhof ist es dunkel und still. Es riecht nach feuchter Erde. Ich weiß, dass es hier passieren soll, und lasse mich von etwas leiten, das die Kontrolle über mich übernommen hat. Meine Beine gehen rechts um die Ecke. Dort ist es noch dunkler. Keine Laternen, von der Straße aus kann man diese Seite des Bahnhofsgebäudes nicht einsehen. Dort hocke ich mich auf den Boden und meine rechte Hand dreht die erste Flasche auf. Reflexartig schlucke ich, der Whisky brennt auf meiner Zunge und in meinem Hals. Aber egal, ich kippe alles runter und diese wunderbare Wärme breitet sich in mir aus. Die zweite Flasche schmeckt besser. Die dritte trinke ich in kleinen Schlucken.

Mit dem Inhalt der letzten Flasche werde ich nachher die Tabletten runterspülen. Ich ziehe den Reißverschluss meiner Tasche auf und krame die Packung Schlaftabletten hervor, die ich im Badezimmer von Leonies Eltern im Spiegelschränkchen gefunden habe. Ich muss an Nadia denken und ein albernes Kichern steigt in mir auf. Wie konnten die Eltern die Tabletten nur im Badschrank verstecken, wo sich ihre Tochter damit schon einmal fast umgebracht hat? Mein Lachen geht in einen Schluckauf über. Aber was interessiert mich schon Nadia? Hier geht es jetzt nur noch um mich.

Ich schließe die Augen, mein Oberkörper schaukelt leicht, ich wiege mich zurück in jene schicksalhafte Nacht. Wie schön sie war, bis zu dem einen Moment. Aber an den will ich nicht mehr denken. Ich radiere ihn aus mit einem weiteren Schluck.

Wenn Maurice lacht, muss ich auch lachen. Er hat das schönste Lachen der Welt. Wir umarmen uns, stehen ganz eng umschlungen, erst auf der Wiese und dann im Bootshaus. Die Welt ist nur für uns da. Sein Kuss schmeckt süß und seine Hände sind so warm und weich. Nichts ist mehr wichtig, außer uns, außer diesem Moment. Und wenn ich jetzt sterben würde, weiß ich, ich habe wirklich gelebt.

Liebe braucht Mut, Mut, Mut klingt der Song durch meinen Kopf und es riecht nach Algen und seiner Haut. Am Hals ist sie warm und ein bisschen feucht und aus seinem Haar steigt der kräftige Duft des Holzkohlefeuers. So fühlt sich Glück an. Endlich weiß ich es.

Ich schwebe, schwebe davon, doch, nein, es ist kein Schweben mehr, eher ein Sog, ein Sog in einen dunklen Tunnel. Da hallt eine Stimme durch den Tunnel.

»Hast du deinen Zug verpasst?«

Ein Mann erscheint da im Tunnel. Irgendwas mit ihm stimmt nicht. Seine Augen . . . Meine Gedanken bleiben stecken, irgendwo in meinem Hirn, gefangen zwischen Synapsen und Zellen . . .

»Ja«, sag ich der Einfachheit halber und will mich an Maurice festhalten, doch meine Hände tasten ins Leere. Wie ist der Typ ins Bootshaus gekommen? Oder in den Tunnel?

»Komm, hier ist es doch viel zu kalt.«

Er will mir unter die Arme greifen, aber ich zucke zurück. »Nein!« Ich drücke etwas an mich, meine Tasche, ich drücke sie wie einen Teddy. Meine Finger fühlen sich ganz steif an, so fest habe ich sie umklammert. Als müsste ich sie gegen die ganze Welt verteidigen.

»Keine Angst, ich wollte dir nur helfen.« Er steht auf und klopft sich über die Hosenbeine, als habe er sich in den Schmutz gekniet. Sein linkes Augenlid ist weit nach unten gezogen, vielleicht von einem Unfall. Womöglich sieht er gar nichts mit dem linken Auge. »Wohin musst du?«

Was will er von mir? Ich antworte nicht. Das mit dem Auge irritiert mich.

»Okay, ich wollte dir wirklich nur helfen.«

Stimmt das? Ich weiß nicht, warum ich sage: »Nach Berlin.« Dabei bin ich doch immer noch im Bootshaus, aber wo ist Maurice?

»Der Zug ist vor 'ner Stunde gefahren«, sagt er entschuldigend, als könnte er was dafür. »Ich geb dir 'nen Imbiss aus.« Er macht eine abwehrende Handbewegung. »Aber nur, wenn du willst . . . nicht dass du glaubst, ich . . .«

Was? Was soll ich nicht glauben? Dass er einer ist, der Mädchen verschleppt und sie vergewaltigt? Dass er ein Mörder ist? Ich gebe einen unverständlichen Laut von mir, der eigentlich ein Lachen sein soll.

»Ich heiße Michael.« Er reicht mir die Hand und ich nehme sie und lasse mich von ihm nach oben ziehen.

Meine Beine sind weich wie Gummi und in meinem Kopf wabert Gelee. Ich halte seine Hand noch immer fest. Man sagt doch, dass man am Händedruck einschätzen kann, wie ein Mensch ist. Seine Hand fühlt sich warm und ganz weich an, ich kann sie kaum fassen – ist das ein schlechtes Zeichen?

Was grüble ich eigentlich? Eigentlich ist es doch egal, was mit mir passiert. »Ich hab keinen Hunger.« Wieso auch, ich hab doch auf der Party Würstchen gegessen.

»Wenigstens einen Kaffee oder Tee? Zum Aufwärmen? Der nächste Zug nach Berlin geht erst morgen früh.«

Das hab ich jetzt davon. Wieso überhaupt Berlin? »Ich will lieber auf den Mond oder hierbleiben«, sage ich, aber er reagiert nicht. »Von mir aus, 'ne Kleinigkeit zu essen«, sage ich und ich weiß, dass es klingt, als tue ich ihm damit einen Gefallen. Dabei will ich gar nicht weg. Ich bin doch im Bootshaus. Und gerade habe ich Maurice geküsst.

»Dann komm, mein Auto steht gleich am Ausgang.« Er lässt meine Hand los und dreht sich um.

Er trägt braune Breitkordhosen und Halbschuhe, über die Anzugjacke hat er noch einen Parka gezogen. Sieht so ein Verbrecher aus?

Und ich? Sieht so eine Mörderin aus?

Auf einmal wünsche ich mir, dass er ein Mörder ist. Wäre es nicht meine gerechte Strafe, umgebracht zu werden? Langsam wird mir alles klar . . . Das alles ist kein Zufall! Ich sollte diesem Mann begegnen, weil er mein Urteil vollstrecken wird!

»Alles in Ordnung?« Er hat sich zu mir umgedreht. »Gib mir doch deine Tasche.«

Er ist mein Richter und mein Henker. Ich lächle und gebe ihm, was er verlangt hat.

Im Auto ist es warm und riecht nach Leder und süßen Kaugummis. Es ist ein Audi oder ein Opel, so genau kann ich das in der Dunkelheit nicht erkennen, eigentlich ist es ja auch nicht wichtig, aber ich bin auf einmal ganz wach, weil ich mitkriegen will, wie es passieren wird. Wie mein Urteil vollstreckt wird.

»Schnall dich an!«, sagt er und lächelt freundlich.

Ich tue, was er sagt. Er startet den Motor und fährt los.

»Ganz schön blöd, wenn einem der Zug vor der Nase wegfährt«, sagt er, »ist mir auch schon mal passiert. Leider musste ich dann stundenlang auf dem kalten Bahnsteig warten.«

»Meistens gibt's ja beheizte Warteräume«, entgegne ich.

»Da nicht.« Er wirft einen kurzen Seitenblick auf mich. »Machst du das öfter?«

»Was?«

»Trinken und Züge verpassen?«

»Bist du Therapeut oder so was?« Ich kenne diese Masche aus dem Gefängnis. Zuerst tun sie, als seien sie deine Freunde, dann fangen sie an, diese Fragen zu stellen, denken, man merkt es nicht.

Er lacht auf. »Nein. War nur so 'ne Frage.«

Ich rede nicht weiter. Das Gespräch langweilt mich.

»Willst du zu einer Freundin?«, fragt er dann.

»Wieso?«, frage ich verwundert. Wie kommt er darauf?

»Oder zu deinem Freund?«

Ich sehe zu ihm rüber. Im Schatten sehe ich nur unklar sein

Profil. Er hat eine leichte Himmelfahrtsnase, das mag ich überhaupt nicht bei Männern.

»Ich will dich nicht aushorchen. Wollte mich nur ein bisschen mit dir unterhalten.«

Ich schweige. So leicht mache ich es ihm nicht. Soll er sich jetzt ruhig ein bisschen anstrengen. Wo wird es passieren? Auf einer abgelegenen Autobahnraststätte oder in einem Waldweg?

Erst nach einer Weile fängt er wieder an. »Bist du eigentlich schon achtzehn?«

Das fällt ihm ja früh ein, denke ich. »Nö. Aber bald.«

»He, da darf ich dich ja eigentlich gar nicht mitnehmen. Wenn wir von der Polizei angehalten werden, musst du sagen, dass du eine Freundin meiner Tochter bist und ich dich heimfahre.«

So ein Schwachsinn, denke ich.

»Kapiert?«, fragt er. In seiner Stimme schwingt auf einmal Unruhe mit.

Ich tue ihm den Gefallen und sage Ja.

»Als ich so alt war wie du, bin ich durch Europa getrampt«, fährt er fort.

»Toll«, sage ich wenig begeistert, was ihn aber nicht abhält weiterzuquatschen.

»Zuerst ging's nach Italien und Sizilien und von dort nach Griechenland, da wollte ich unbedingt . . .«

Die Schallwellen seiner Stimme wabern durch den Innenraum, ich stelle meine Ohren auf Durchzug, dieses Geschwafel ist mir zu viel. Er tut das, um mich einzulullen, denke ich, und dann, wenn ich vertrauensvoll meine Augen zumache, biegt er in einen Feldweg ab oder fährt sonst wohin.

Das Ticken des Blinkers reißt mich aus meinen Gedanken.

Ist es wirklich möglich, dass alles so passiert, wie ich es mir vorgestellt habe?

»Wohin fahren wir?«, frage ich ungläubig, während ich vor mir eine schmale Straße sehe, gesäumt von Bäumen, deren Stämme im Scheinwerferlicht wie aus dem Nichts kurz hell aufleuchten und wieder in der Dunkelheit versinken.

Er antwortet nicht. Ich versuche, den Nebel, mit dem der Alkohol mein Gehirn umgeben hat, zu durchstoßen. Zum Glück bin ich eingeschlafen, noch bevor ich die Tabletten genommen habe . . . Aber warum hab ich plötzlich Angst? Ich wollte es doch so.

Die Straße wird schlechter, doch er fährt nicht langsamer.

Meine Hand tastet zum Türgriff. Er drückt auf einen Knopf, es klackt. Ich muss es gar nicht erst probieren: Er hat die Türen verriegelt.

So geschieht es. Jetzt weiß ich es.

Meine Hinrichtung. Meine gerechte Strafe. Wer behauptet, es gäbe keine Gerechtigkeit auf der Welt?

Da sieht er zu mir herüber. Sein linkes Auge liegt im Schatten und jetzt, als ich nur sein gesundes, rechtes sehe, fällt mir auf, dass es die verletzte Seite ist, die ihn vertrauensvoll macht. Die rechte Seite grinst hinterhältig.

Er fährt langsamer. Ich habe das Gefühl, einen Film zu sehen. Ich sitze irgendwo vor einem Fernseher oder im Kino, nicht in diesem Auto, neben diesem Typen. Die Baumstämme werden deutlicher, fliegen viel langsamer vorbei, ein ausgefahrener Feldweg tut sich auf. Etwas in mir sträubt sich zu akzeptieren, was geschieht. Es muss ein Albtraum sein.

»Mach mal das Handschuhfach auf«, sagt er und stellt den Motor ab. Ich tue es.

»Die ist für dich. Nimm einen Schluck, den Rest gibt's danach.«

Er meint die Wodkaflasche. Dann rutscht er sich bequem im Sitz zurecht und greift an seinen Gürtel.

Nein, so nicht! So stelle ich mir meine Hinrichtung nicht vor! Etwas in mir regt sich. Ich will hier raus! Wut flammt in mir auf.

»Weißt du, dass du eine Mörderin im Auto hast?« Die Flasche in meiner Hand ist kalt und hart.

»Was?« Sein Kopf fliegt zu mir herüber. Er grinst gezwungen.

»Es wird also nicht so leicht mit mir.«

»Wovon redest du?« Noch immer sein blödes Grinsen. »Schraub die Flasche auf, nimm einen Schluck! Darauf fährst du doch ab, du kleine Schlampe, komm schon!«

Er will zu mir herübergreifen, da schaltet sich in mir etwas an. Ich weiß nicht, was, ein Generator oder irgendwas, etwas, das plötzlich Power in mich jagt, ich schlage den Flaschenhals auf die Kante des aufgeklappten Handschuhfachs, süßlicher Alkoholgeruch erfüllt sofort das Auto, ich stoße ihm die Flasche mit den scharfen Zacken nahe vors Gesicht.

Er zuckt zurück, will mein Handgelenk packen, doch ich bin schneller, ich weiß nicht, warum, als hätte ich jahrelang geschlafen und wäre nun endlich aufgewacht, ich ramme ihm das Glas an sein Ohr, er schreit auf.

»Pass auf: Ich hab tatsächlich jemanden umgebracht!«, zische ich ihm ins blutende Ohr. »Und jetzt fahr mich zurück!« Meine Stimme bebt vor Zorn. »Zurück zum Bahnhof!«

Er ist erstarrt.

»Zurück!«, brülle ich ihm ins Ohr, »zurück!« Ich schreie die Zeit im Gefängnis heraus, meinen Schmerz, meine Trauer, meine Wut, meine Angst – und meine Verzweiflung. »Zurüüüüück!«

Er nickt nur, und als er die Hände zum Lenkrad ausstreckt, sehe ich, dass sie zittern.

Wir sprechen nichts mehr. Er wendet und fährt zurück auf die Hauptstraße, während ich mich zurücklehne und die Flasche wie eine Waffe in der Hand halte, bereit zuzustoßen.

Plötzlich weiß ich, wo wir sind. Rechts leuchtet weiß der Kies des Parkplatzes am See auf. Ich will nicht zurück zum Bahnhof. Ich will auch nicht zurück zu meinen Eltern. Nicht jetzt. Ich muss allein sein, zu mir kommen . . .

»Halt an! Lass mich hier raus!«, schreie ich.

Er tritt sofort auf die Bremse.

Ich mustere ihn noch einmal, aber er sieht mich nicht mehr an, will mich nur noch loswerden. Also mache ich die Tür auf, steige aus, mache die hintere Tür auf, hole meine Tasche heraus, werfe ihm die Flasche auf den Beifahrersitz, dann die Türen zu. Mit quietschenden Reifen fährt er davon.

Jetzt erst fange ich an zu zittern. Die feuchte Nachtluft ist auf einmal kalt und ich schlottere, klappere mit den Zähnen. Mein Herz fühlt sich an wie ein gefangener, ängstlicher Vogel, der vergeblich aufflattert, panisch mit den Flügeln schlägt.

Die scharfen Zacken der Wodkaflasche, das Blut an seinem Ohr: Ich weiß, ich hätte ihn umbringen können, wenn es notwendig gewesen wäre. Mit jedem Mal fällt es ihnen leichter, sagt man das nicht von Mördern?

Ich sacke zusammen, ich kann nicht mehr. Der spitze Kies sticht mir in die Handflächen. Und dann wird mir übel, so übel. Ich kippe zur Seite und übergebe mich.

Danach geht's mir besser. Wie konnte ich nur dieses Zeug

trinken? Und wenn ich die Schlaftabletten noch genommen hätte . . .? Gerade erscheint es mir unvorstellbar, dass ich vorhatte, mein Leben einfach so wegzuwerfen – aus purem Selbstmitleid!

Ich rapple mich auf, hänge meine Tasche über die Schulter, atme durch und gehe los. Es tut gut, den Kies unter meinen Schritten knirschen zu hören, dann das feuchte Gras an meinen Knöcheln zu spüren.

Hier würden sie morgen früh anfangen, die Bühne und die Schwenkgrills aufzubauen. Wie letztes Jahr. Als sei nichts passiert.

Ich überquere die Wiese, ducke mich unter den Laubbäumen hindurch und langsam beruhigt sich mein Herz, mein Kopf wird klarer, ich werde sogar müde, ganz normal müde. Je näher ich zum See komme – ich sehe ihn schon zwischen den Bäumen hindurchschimmern –, umso kühler und feuchter wird es.

Ich muss schlafen, das ist jetzt das Einzige, wonach ich mich sehne. Aber ins Bootshaus will ich nicht und einfach so auf der Wiese ist es viel zu kalt. Da fällt mir der Unterstand ein, die kleine Holzhütte auf der Wiese hinter der Baumreihe. Ich wende mich vom See ab und stapfe weiter durchs Gras. Als ich an der Hütte ankomme, wünsche ich mir nichts mehr, als mich in einen traumlosen Schlaf fallen zu lassen.

Die Tür ist nicht verschlossen, ich stoße sie auf und stehe in einem Raum, in dem auf der einen Seite ein paar Heuballen liegen und auf der anderen Seite loses Heu. Ohne lang zu überlegen, strecke ich mich darauf aus, nehme meine Tasche als Kopfkissen und schließe die Augen. Alle Anspannung fällt von mir ab und ich überlasse mich dem Schlaf, der wie eine Welle über mich hinwegrollt.

19

Einer meiner Albträume ist es, an einem mir völlig unbekannten Ort aufzuwachen und mich nicht daran erinnern zu können, wie ich dahin gekommen bin. Dieser Moment jetzt ist kein Albtraum, das weiß ich sofort, denn ich bin hellwach. Dieser Moment ist die Wirklichkeit. Zwei, drei Sekunden vergehen, in denen ich panisch herauszubekommen versuche, wo ich bin. Eine Schwertklinge liegt auf meinem Bauch, Nägel bohren in meinen Rücken . . . mein Gott . . . ich fahre hoch und ramme mit der Stirn gegen etwas Hartes, Kantiges.

Ich schreie auf und begreife, dass ich im Heuschober bin, dass die Schwertklinge ein Streifen Mondlicht ist, der durch die Zwischenräume der Holzlatten fällt, dass die Nägel piekende Strohhalme sind, auf denen ich liege.

Einen Augenblick lang bin ich erleichtert, will mich schon wieder zurücklegen, als ich ein Motorengeräusch höre. Mitten in der Nacht? Auf meiner Handyuhr ist es kurz nach zwei Uhr. Um diese Uhrzeit fährt hier bestimmt kein Traktor lang, um Gras zu mähen – und die Straße ist ein ganzes Stück entfernt.

Der bohrende Schmerz in meinem Kopf wird stärker, pochend, brennend, während der Motor draußen lauter wird. Ich stehe auf, laufe zum Fenster auf der anderen Scheunenseite, sehe nichts, nur die Schatten der Bäume und die dunkle Fläche der Wiese. Mein Herz pocht schneller, härter, mir wird klar, dass ich allein bin, völlig allein.

Das Motorengeräusch kommt von einem Auto. Hastig

schleiche ich auf die andere Seite der Hütte, bücke mich und versuche, durch einen breiteren Spalt zwischen den Brettern etwas zu erkennen. Ein Sportwagen rollt auf die Hütte zu. Bleibt stehen. Zwanzig, dreißig Meter davor. Laut wummernde Rockmusik dringt heran. Der Motor wird abgestellt. Die Musik geht aus. Klackend öffnet sich die Fahrertür, ein kurzer Reflex des Mondlichts, eine dunkle Gestalt mit hellem Haar steigt aus, wirft die Tür zu, flucht leise vor sich hin, verschwindet im Schatten des Autos, taucht wieder auf und wankt breitbeinig und fluchend auf die Hütte zu.

Franz Niederreiter, ich erkenne ihn an seiner stämmigen Figur, breit wie ein Kleiderschrank, ein Kraftpaket, das plötzlich explodieren kann. Die Motorradlederjacke lässt ihn noch gefährlicher aussehen. Mir fällt ein, dass ihm diese Wiese hier gehört und auch die, auf der die Sommerparty stattfindet. Aber was will er jetzt hier, mitten in der Nacht?

Er kommt auf die Tür zu, es ist zu spät, um rauszulaufen. Und einen anderen Ausgang gibt es nicht.

Panik steigt in mir auf, als ich nach einem Versteck suche. Ich wühle mich unters Heu. Halte die Luft an. *Lieber Gott, lass ihn nicht reinkommen, lass ihn wieder weggehen!* Ich denke an den Typ am Bahnhof . . . *Nicht noch mal dieser Albtraum, bitte!*

Zwischen den Strohhalmen hindurch linse ich zur Tür. Höre schwere, wankende Schritte auf Holz. Rumpeln an der Tür, dann ein Quietschen der Scharniere. Zu spät, die Tür geht auf.

»Verfluchte Scheiße!«, brüllt er. »Diese blöde Kuh! Gibt's so was? So ein falsches Biest! Ich dreh ihr den Hals um!« Er schreit und versetzt den Heuballen Tritte. Ich mache mich so klein ich kann. *Hoffentlich sieht er mich nicht,* bete ich, *bitte lass ihn gehen, sofort . . .*

Er schreit und brüllt und durch einen kleinen Sehschlitz kann ich erkennen, dass er sich die Haare rauft, ja mit beiden Händen an ihnen reißt. Sein Pferdeschwanz löst sich und die langen Haare fallen in Strähnen über seine Schultern, während er laut fluchend gegen die Heuballen und die Wände tritt. Er nimmt noch die ganze Hütte auseinander, wenn er so weitermacht! Er ist völlig außer sich. Seine Alkoholfahne dringt bis zu mir ins Heu.

Wenn er mich jetzt hier finden würde . . . ich will gar nicht weiterdenken. Dennoch sehe ich vor mir, wie er seinem Freund im Streit den Kopf an einem Baumstamm zermalmt. Seine schweren Lederstiefel malträtieren die Heuballen.

»Diese Schlange, diese Schlampe! Na warte, dir werd ich's noch zeigen! Mit mir nicht, Nicole! Merk dir das! Du falsches Luder!« Er rammt seinen Kopf gegen die Tür, immer und immer wieder, bis er zusammenbricht, auf die Knie sinkt und heult.

Hoffentlich schläft er nicht ein, denke ich nur und erschrecke über meine Kaltherzigkeit. Die pure Verzweiflung hat ihn hierhergetrieben. Wahrscheinlich hat ihn seine Freundin verlassen. Warum regt sich in mir kein Mitleid? Ich bin einfach nur starr vor Angst, vor Erschöpfung und vor Traurigkeit. Wenn er wüsste, dass ich ihn bei seinem ganz privaten Tobsuchtsanfall beobachte . . .

Er dreht sich um und in dem Moment blitzt etwas auf seinem Rücken auf. Ein Blitz, ein Schwert . . .? Ein . . . ja, was? Es ist ein Déjà-vu, als ob ich noch einmal im Bootshaus wäre . . . Beinahe vergesse ich, mich weiter zu ducken . . . endlich stolpert er fluchend hinaus. Kurz darauf höre ich den Motor aufheulen, dann schießt das Auto davon, das Motorengeräusch entfernt sich, bis es schließlich nicht mehr zu hören ist.

Ich zähle bis fünfzig, dann erst wage ich, mich zu regen, schüttle das Heu von mir und hocke mich auf einen Ballen am Fenster. Durch die beschlagene Scheibe schimmert blass der Mond.

Etwas auf seiner Lederjacke hat reflektiert, ganz eindeutig. Ein silbriges Zeichen. Ein Bild . . . ein Emblem . . . es war ein Adler . . . kein Pferd . . . Wieso komme ich auf Pferd? Ich will weiterdenken, doch meine Gedanken lösen sich auf, werden von meiner Müdigkeit aufgefressen wie Zuckerwattefäden – ein Gedanke nach dem anderen, bis nichts mehr da ist, nur noch leere Finsternis.

20

Es ist das Vogelzwitschern, das mich weckt, und als ich aus meinem Versteck krieche, mir das Heu aus den Kleidern klopfe, sehe ich durchs Fenster, dass der Himmel schon ein bisschen orange geworden ist. Ich hab wirklich in diesem Heuschober geschlafen.

Die Ereignisse der vergangenen Nacht erscheinen mir, als hätte ich sie in einem anderen Leben erlebt, und doch kann ich mich an alle Details erinnern. Zweimal bin ich in dieser Nacht einer Katastrophe entkommen. Sind das nicht Zeichen, dass ich endlich fahren soll?

Ich glaube schon lange nicht mehr an Gott. Von unserer Familie will nur meine Mutter mal an Weihnachten in die Kirche. Weil es da so schön feierlich ist. Und hin und wieder sagt sie mit einem schuldigen Gesichtsausdruck, dass man seinem Schöpfer doch danken sollte für das, was man hat, und zufrieden sein sollte. Mein Vater zuckt daraufhin höchstens die Schultern.

Die Hand am Türriegel, drehe ich mich noch einmal um. Ein so kleiner Raum – was hätte Franz Niederreiter gemacht, wenn er mich entdeckt hätte?

Ich ziehe die Tür auf. Feuchte würzige Morgenluft legt sich wie ein Schleier auf mein Gesicht. Heute Abend steigt die Party.

Ohne mich. Ich muss nach Hause.

Hunger meldet sich. Kann mich gar nicht mehr erinnern, wann ich zuletzt was gegessen habe. Diesmal gehe ich nicht zum Parkplatz, sondern schlage die Richtung zum Ort ein. Von dort werde ich den Bus nach Prien nehmen, dann den Zug nach Köln.

Meine Schuhe sind durchnässt vom taufeuchten Gras, als ich über die Absperrkette steige und wieder auf Asphalt stehe. Der Himmel ist jetzt hellblau und ohne Wolken. Sie werden gutes Wetter haben, heute Abend, beim Sommerfest...

Ich müsste meine Eltern anrufen. Nicht jetzt. Viel zu früh, sage ich mir und weiß, dass das nur eine Ausrede ist. Ich werde sie anrufen, später, vom Bahnhof aus.

Die Metzgerei Moser gibt's immer noch, stelle ich fest, als ich an den beschlagenen Schaufenstern vorbeigehe und ein Geruch nach warmer Wurst herausdringt. Nein, auf Wurst hab ich jetzt wirklich keine Lust.

»He, so ein Zufall!«

Ich drehe mich um. Noch bevor ich realisiere, wer da vor mir steht, sagt er schon: »Paula, stimmt's?«

Benjamin, stimmt's?, könnte ich sagen, doch ich starre ihn nur weiter an. Paula. So hab ich mich genannt.

»Ziemlich früh!« Er lacht gut gelaunt.

»Ja«, bringe ich heraus. Ich weiß nicht, was ich sagen, was ich fühlen soll. Ich bin ein Stück Eis oder Stein, etwas Lebloses, Totes, während er so voller Leben ist.

»Komm gerade aus München. Gestern war Stadtratsitzung. Die haben kein Ende gefunden, und wenn man dann schon mal die Nacht in der Großstadt ist . . . he, du blutest ja!«

Er sieht auf meine Hand, an der Fäden von getrocknetem Blut kleben. Einen Moment lang weiß ich selbst nicht, woher das kommt, doch dann fällt mir die Autofahrt wieder ein und die Wodkaflasche und der Typ mit dem schiefen Auge und der Himmelfahrtsnase – und dem blutenden Ohr.

Ich erschrecke und stecke schnell die Hand in meine Jackentasche. Da spüre ich das Papierknäuel. *Bleib, wo du bist, oder du wirst es bitter bereuen.* Ja, stimmt, oder? »Ach, nicht so schlimm«, sage ich.

»Sicher?«

»Absolut.« Ich ringe mir ein Lächeln ab.

»Ich muss gleich was frühstücken«, sagt er, »sonst kipp ich um. Kennst du das *Café Rosa?* Da soll's die besten Croissants geben.«

Wieder nicke ich und ich komme mir vor wie ein Kind, das sich fürchtet, mit Erwachsenen zu sprechen. Wenn er wüsste, wer ich bin, wäre er anders zu mir. Ein Lächeln rutscht mir heraus, er erwidert es.

Er darf nie erfahren, wer ich bin.

»Man müsste viel öfter die Nacht durchmachen«, sagt er und streckt sich. »Gibt's was Schöneres, als die Sonne wieder aufgehen zu sehen?«

Kann er Gedanken lesen? Ich nicke rasch. Mit einem mulmigen Gefühl im Bauch denke ich an die Schlaftabletten, die noch immer in meiner Reisetasche stecken . . .

Ich bin froh, dass ich ihm nicht meinen richtigen Namen gesagt habe. Ich bin Paula, sage ich mir, ein ganz normales Mädchen, deren schlimmstes Erlebnis im Leben bisher . . . eine Fünf in Deutsch war.

Wir lächeln uns zu, und als er fragt, ob ich mit ins *Rosa* frühstücken kommen will, sage ich Ja.

Erst jetzt realisiere ich, dass ich zurückgekommen bin. Wenn das, was wir tun, einem verborgenen Plan folgt, also, wenn es doch etwas außerhalb von uns gibt, das unser Schicksal lenkt, dann hat es einen Sinn, dass ich hier bin, sage ich mir. Ich hab nur noch nicht den blassesten Schimmer, welchen. Benjamin geht arglos neben mir her. Er wurde mir geschickt . . . vielleicht . . .

An dem herausgeputzten Bauernhaus mit den Waschbetonkübeln voller roter und lilafarbener Geranien steht in Schreibschrift: *Café Rosa*. Früher, in meinem alten Leben, bin ich öfter mit Leonie und den anderen hier gewesen, wenn wir von einem Ausflug aus München kamen.

Er hält mir die Tür auf, während das Bimmeln der Türglocke langsam verhallt. Ein plüschiges, altmodisches Café mit dem typischen Geruch nach Kaffee, Alte-Damen-Parfüm und frisch gebackenem Kuchen. Jetzt, am Morgen, mischt sich noch frischer Brötchenduft dazu.

Wir bestellen an der Theke und setzen uns an einen kleinen, runden Tisch am Eingang, drei der weiteren fünf Tische sind besetzt. Einer von zwei Frauen, die ihre Babys auf dem Schoß und die Kinderwagen neben sich geschoben haben, einer von einem einzelnen Mann, der sich hinter der aufgeschlagenen Süddeutschen verschanzt hat, den anderen Tisch nehme ich nur flüchtig als besetzt wahr.

»Hmm!« Er hat schon in sein Croissant gebissen. »Susanne Ritter hat recht gehabt!«

Mir stockt der Atem.

»He, alles okay?«

»Ja, klar!«, beeile ich mich zu versichern. Susanne Ritter, die Frau von Olaf Ritter . . .

»Kennst du Susanne Ritter?«

»Nein«, ich schüttle den Kopf, »ich glaube nicht.«

»Sie ist im Gemeinderat von Prien, kandidiert fürs Bürgermeisteramt. Ist ganz nett – aber ganz schön ehrgeizig. Die kämpft mit harten Bandagen gegen ihre Gegner.«

»Ah«, bringe ich heraus.

Er legt den Kopf schief und sieht mich skeptisch an. »Sicher, dass alles okay ist?«

»Ja, ja!« Ich setze ein Lächeln auf. »Mir . . . mir knurrt nur ziemlich der Magen!« Vor mir steht ein Teller mit einem Croissant und ein Becher heiße Schokolade. Ich sterbe vor Hunger, habe aber keinen Appetit.

»Ich auch!« Er lacht. »Fang an!«

Ich setze den Becher an die Lippen. Nein, ich bringe bestimmt keinen Schluck runter. *Ich hab ihn umgebracht*, hallen meine eigenen Worte in meinen Ohren. Die Worte, die ich Olaf Ritter gesagt habe, als er mich im Bootshaus gefunden hat.

»Gefällt es dir in Prien?«, frage ich, bevor er vielleicht komische Fragen stellen könnte.

»Es geht. Viel ist ja nicht gerade los.« Er zuckt die Schultern, während er die Tasse mit beiden Händen hält.

Vielleicht friert er auch, weil er nicht geschlafen hat, denke ich und lege meine Hände um die heiße Tasse Schokolade.

»Aber die Gegend ist super! See, Berge, im Sommer baden, klettern, im Winter snowboarden . . . he, hast du ein Fahrrad hier?«

Ich schüttle den Kopf.

»Wir könnten eins leihen, ich kann bestimmt eins auftreiben . . . ich meine . . . falls du Lust auf eine Tour hast.« Er lächelt ein bisschen verlegen.

Ich will etwas sagen, etwas Nettes. Aber mir fällt nichts ein. Tolle Gesellschaft, denke ich. Er schweigt, sieht mich an. Jetzt stellt er sicher eine unangenehme Frage, denke ich noch. Früher dachte ich das selten, aber inzwischen habe ich Angst vor Fragen. Sie könnten wie Messer meine schützende Hülle aufreißen und zutage fördern, was darunterliegt: Die Seele einer Mörderin.

»Aber was machst *du* eigentlich hier in Kinding?«, fragt er auf einmal.

»Ich besuche jemand. Eine Freundin. Wir waren zusammen in der Schule.« Verlegen zupfe ich am Croissant, stecke mir Teigfetzen in den Mund, damit ich eine Entschuldigung für meine Wortkargheit habe.

»Ach ja? In welcher denn?«, fragt er interessiert.

Auf die Schnelle fällt mir nichts anderes ein als die Wahrheit. »Augustinus.« Ich nehme einen Schluck heiße Schokolade.

»He . . . da war doch . . .« Er runzelt die Stirn.

Nein! Bitte nicht!

». . . diese Sache mit der Schulparty. Letzten Sommer. Der Typ, der erschlagen wurde . . . er war ungefähr so alt wie du . . . du hast doch sicher was davon gehört, oder?« Gespannt sieht er mich an.

Ich ersticke fast, dabei hätte ich es kommen sehen müssen.

Viel zu schnell und viel zu heftig schüttle ich den Kopf. »Nein. Ich meine, ich hab da schon nicht mehr hier gewohnt.«

»Es soll ein Mädchen aus seiner Klasse gewesen sein«, redet er weiter.

»Ja, ich erinnere mich, so was gehört zu haben«, antworte ich vage. Wie kann ich das stoppen? Krampfhaft suche ich in meinem trägen Hirn nach Sätzen, Floskeln, nach einem anderen Thema, das ich anschneiden könnte, doch ich finde nichts. Mein Gehirn streikt.

»Ich stöbere gerade im Archiv«, redet er unbeirrt weiter. »Sonst gibt's ja nicht viel zu tun hier. Man musste sie freilassen. Aus Mangel an Beweisen.«

Warum bin ich nur mit ihm ins Café gegangen? Ich hätte

mir doch denken können, dass er mir nicht schweigend gegenübersitzen würde!

Nachdenklich sieht er zum Fenster raus. »Es ist schlimm, unschuldig im Gefängnis zu sitzen. Das hinterlässt bestimmt Spuren . . .«

»Ich glaube, ich muss gehen«, falle ich ihm ins Wort und stelle die Tasse ab. Ich treffe den Rand meines Porzellantellers, es scheppert, ich zucke zusammen, habe den Eindruck, als würden mich plötzlich alle anstarren, die beiden Mütter, der Typ mit der Zeitung. Sogar das Rauschen der Kaffeemaschine scheint verstummt zu sein. Zum Glück hab ich nichts verschüttet.

»Weißt du, dass die Polizei einige Spuren überhaupt nicht verfolgt hat?« Er hat gar nicht wahrgenommen, dass ich gehen will.

»Ach ja?«, bringe ich heraus. Wenn er wüsste, wen er vor sich hat, würde er nicht so reden.

»Ja! Die Zigarettenstummel zum Beispiel.«

»Welche Zigarettenstummel?« Ich bemühe mich, nicht zu interessiert zu klingen.

»Neben dem Bootshaus.« Er schüttelt gedankenverloren den Kopf. »Zwei Joints. Sie haben noch nicht mal die DNA untersucht. Das stand in den Protokollen vom Tatort. Dass sie da Joints gefunden haben und . . .«

»Wieso sollten die Joints irgendwas mit dem Fall zu tun haben?«, unterbreche ich ihn grob und muss mich zusammenreißen, um nicht laut zu werden.

Er zuckt die Schultern. »Vielleicht stammen sie ja vom Mörder? Oder von einem Zeugen, der nicht aussagen will. Na ja, man hätte sie wenigstens untersuchen müssen.«

»Und was hat man davon, wenn man die DNA untersucht?

Womit soll man sie vergleichen? Mit der von allen Einwohnern Kindings?« Meine Stimme hat nichts an Schärfe verloren, doch Benjamin scheint es nicht zu merken.

Er grinst ein wenig und hebt die Brauen. »Warum nicht? Man kann bestimmt Einschränkungen machen. Zum Beispiel ob die DNA von einem Mann oder einer Frau ist.«

»Ja, klar«, sage ich wenig enthusiastisch.

»Außerdem gab's ja wohl ziemliche Auseinandersetzungen zwischen dem Opfer und seinem Bruder.«

»Maurice und Claude?«, platze ich heraus, worauf er mich erstaunt ansieht. »Waren Freunde von einer . . . einer Freundin«, erkläre ich rasch.

»Ach so«, er nickt. »Ja, Familienstreitigkeiten. Claude sollte wohl nicht mehr die Firma übernehmen.«

»Was hat das mit dem . . . mit dem Tod von Maurice zu tun?«

»Weiß nicht, aber das ist doch alles merkwürdig. Ein Mädchen verliebt sich in einen Typen und dann erschlägt sie ihn. Auch noch mit einem Ruder . . .« Er schüttelt den Kopf. »Da muss sie aber einen triftigen Grund gehabt haben.«

Ich zucke die Schultern, um möglichst unbetroffen zu wirken. »Soll sie nicht auch Alkohol und Drogen genommen haben?«

»Ja, schon, aber . . . trotzdem. Ich hab mal ein bisschen im Leben von diesem Claude rumgestochert. Besonders friedlich war der wohl noch nie gewesen. Er hatte mal eine ziemlich üble Schlägerei mit einem anderen Schläger hier.«

»Mit wem?«

»Franz Niederreiter. Kennst du den?«

»Wer kennt ihn nicht?« Er wird mir immer unheimlicher. Was weiß er alles? Weiß er, wer ich bin? »Dir muss ja ziemlich langweilig in Prien sein.«

Er lächelt kurz. »Na ja. Ich glaube, es ist eher dieser Fall. Der beschäftigt mich irgendwie. Ich frage mich, wie man damit klarkommt, jemanden umgebracht zu haben.«

Der Kloß in meinem Hals meldet sich wieder. Ich warte darauf, dass er weiterspricht. Doch er ist in den Anblick seiner Tasse vertieft.

»Und«, frage ich schließlich. »Wie lebt man damit?«

Seufzend schüttelt er den Kopf. »Keine Ahnung. Am schlimmsten ist es bestimmt, wenn man es gar nicht wollte. Wenn es passiert ist, weil man besoffen oder bekifft oder einfach wahnsinnig wütend war.«

Ich muss gleich gehen, ich halte das nicht mehr aus. »Und was hast du noch über diesen Claude rausgekriegt?«, frage ich dann doch noch.

Er zögert. »Ich kann dir das nicht sagen. Das wäre üble Nachrede oder so was.«

»Meinst du, ich geh zur Zeitung und verrate es? Oder ich fang an, ihn zu erpressen?« Ich versuche ein Lachen.

Sein Blick ist skeptisch. Er weiß nicht so recht, wie er meinen Humor einschätzen soll. Versteh ich, ich wundere mich manchmal über mich selbst, was ich so rede.

»Also?«, fragend sehe ich ihn an. Endlich öffnet er den Mund.

»Er hatte eine Affäre mit der Ehefrau eines Mitarbeiters aus dem Bauamt in Prien. Das ist so was wie geschäftlicher Selbstmord als angehender Bauunternehmer. Außerdem: Kokain. Gras. Ecstasy. Alkohol. Jedenfalls noch bis vor Kurzem. Angeblich macht er inzwischen ein bisschen langsamer mit dem Zeug. Aber«, er schüttelt den Kopf, »mit seinem Bruder hat er sich wohl damals nicht besonders gut verstanden. Der war Dads Liebling, vor allem als dieser von der Affäre gehört hat. Er wollte Claude tatsächlich enterben. Und aus der Baufirma, in der er schon ein bisschen mitmischte, hat ihn sein Vater gleich rausgeschmissen. Maurice sollte ab sofort alles übernehmen.« Er beugt sich vor und sagt leise: »Aber jetzt kommt das Beste: Claude hatte ein Alibi. Er war bei seinen Eltern.«

Und, will ich sagen, doch ich bringe nichts raus.

»Aber nur bis elf Uhr abends. Dann ist er nämlich gegangen, und zwar zur Sommerparty.«

»Woher willst du das wissen?«, frage ich.

»Ein Zeitungstyp wie ich hat überall seine Quellen!« Er grinst. »Im Ernst: Von einem Typen, der ihm öfter was verkauft hat. Gras und so. Der war auch auf der Party.«

»Und warum sollte der jetzt die Wahrheit sagen?«

Er beugt sich noch ein bisschen weiter über den Tisch. »Also, ich stell mir das so vor«, sagt er mit gesenkter Stimme, »die Eltern schützen Claude. Denn jetzt haben sie ja nur noch einen Sohn. Und der Dealer geht bestimmt nicht zur Polizei und steckt denen was – außer . . .«

»Außer was?«, sage ich viel zu laut.

»Psst.« Er sieht sich rasch um. »Ich weiß nicht«, sagt er leise, »außer, ich kann ihn davon überzeugen, dass seine Aussage ihn selbst nicht belastet . . .vielleicht kann man das ein bisschen unbürokratisch regeln. Wenn der Polizei was an der Wahrheit liegt, sind sie auch bereit, Deals zu machen.«

Winter bestimmt nicht, denke ich.

Eine Weile brauche ich, bis ich all das, was er gerade gesagt hat, richtig einsortiert habe. »Du willst also behaupten . . .«

»Nein«, fällt er mir ins Wort, »ich behaupte gar nichts. Ich halte es für möglich.«

Ich versuche, so zu wirken, als würde es mich nur so aus

Spaß interessieren. »Okay, du hältst es also für möglich, dass Claude in jener Nacht zum Bootshaus gegangen ist, dort ein paar Joints durchgezogen und auf seinen Bruder gewartet hat, um ihn zur Rede zu stellen. Als der dann kam, ist Claude rein und . . . ja . . . und?« Erst jetzt, als meine Hände in der Luft innehalten, merke ich, dass ich aufgeregt rumgefuchtelt habe.

Benjamin redet mit gesenkter Stimme weiter: »Claude hat Maurice mit dieser Franziska ins Bootshaus gehen sehen, dann hat er seinen Joint weggeworfen und ist reingegangen. Er war wütend auf seinen Bruder, weil der sich nicht bei den Eltern für ihn eingesetzt hat. Weil Maurice der Nutznießer ist, weil er vielleicht schon immer der Lieblingssohn war. Jetzt war es einfach genug! Claude wollte Maurice die Tour mit dem Mädchen vermasseln, ihn ordentlich vermöbeln, wie das manche Typen so machen. Er war bekifft; wütend und jähzornig ist er scheinbar sowieso.« Benjamins Augen funkeln und er hält kurz inne, um an seinem Kaffee zu nippen.

Ich kann ihn nur stumm anstarren und habe Angst, dass er meinen lauten Herzschlag hört. Er schaut kurz aus dem Fenster auf den Marktplatz und ich würde ihn am liebsten anschreien: Weiter, red weiter!

»Also«, fährt Benjamin endlich fort. »Als Erstes hat er das Mädchen ausgeschaltet, sie ist an die Bootswand geschlagen und dort liegen geblieben. Dann hat er seinen Bruder erledigt. Eigentlich wollte er sich nur mit ihm prügeln, aber er hat Maurice gleich richtig erwischt. Als er kapiert hat, dass sein Bruder tot ist, hat er dem Mädchen das Ruder in die Hand gedrückt und ist abgehauen. Sie ist aufgewacht und war überzeugt, dass sie es getan hat.«

Meine Kehle ist zugeschnürt und zugleich rebelliert mein Magen.

»Na?« Erwartungsvoll sieht er mich an.

Ich räuspere mich, doch meine Kehle fühlt sich leider noch genauso eng an. »Du hast eins vergessen«, presse ich mit heiserer Stimme hervor.

»Was?«

»Warum kann sich ... diese Franziska nicht erinnern, dass Claude ins Bootshaus gekommen ist?«

»Schock, Paula! Der Schock hat die Bilder gelöscht. Sie kann, sie will sich nicht erinnern!«

Ich zucke die Schultern, was mir noch nie so schwergefallen ist.

»Aber das ist doch jetzt schon ein Jahr her, langsam müsste sie doch wieder ...«

Er schüttelt heftig den Kopf. »Nein ... sie ist überzeugt, dass sie es war. Sie hat Claude wahrscheinlich nicht kommen sehen. Überleg doch mal, es war Nacht. In diesem Bootshaus war es bestimmt stockfinster. Das Mädchen hatte wahrscheinlich was getrunken, vielleicht auch was eingeworfen und ... und ja, sie war verliebt! Und dann ging alles so schnell. Tja ... und dann die Leute.«

»Was meinst du damit?«

»Paula! Alle waren von Anfang an überzeugt, dass diese Franziska schuld war. Die haben das in ihr zementiert. Wahrscheinlich hat es keiner für möglich gehalten, dass es auch anders gewesen sein könnte.«

»Ein Unfall hätte es auch sein können ...« Meine Stimme zittert.

»Ach!« Er macht eine wegwerfende Handbewegung. »Selbst wenn sie es für sich als Unfall ansehen kann – sie hat trotzdem Schuld, verstehst du? Wenn ich ein Kind überfahre und es nicht wollte, fühle ich mich trotzdem schuldig, verstehst du?«

Ja, klar, besser als du denkst. *Ich muss sofort hier raus,* denke ich wieder, doch diesmal stehe ich wirklich auf.

Erstaunt sieht er zu mir auf.

»Tut mir leid, ich muss jetzt los.« Ein Grund fällt mir nicht ein, ich fummle in meiner Umhängetasche nach meinem Geldbeutel. Wenn meine Hand doch nicht so zittern würde.

»Nein, lass, du bist eingeladen«, sagt er und ich überlege einen Moment, ob ich es annehmen soll. Doch dann sage ich artig Danke.

»Paula?«

Eine Sekunde vergeht, bis ich mich angesprochen fühle.

»Ja?«

Er hält eine Visitenkarte zwischen Zeige- und Mittelfinger und lächelt. »Falls du mal eine tolle Neuigkeit hast, sag mir Bescheid. Dann hab ich vielleicht Chancen auf eine Beförderung!« Er lacht und fügt leise hinzu: »He, wir könnten heute zusammen auf die Sommerparty gehen, wenn du Lust hast!«

»Ich kann nicht, leider. Ich muss nach Hause«, sage ich wie ein Automat, nehme mechanisch die Karte entgegen und bringe noch ein Ciao heraus. Beim Hinausgehen stoße ich an den Schirmständer, der scheppernd umfällt. Auch das noch! Ich hebe ihn auf und mache, dass ich rauskomme.

Draußen atme ich tief durch. Meine Knie schlottern, meine Lippen zittern, mein Kopf dröhnt und hämmert, mein Mund ist trocken, meine Hände sind feucht. Mir ist schlecht.

Die Kanten seiner Visitenkarte schneiden mir in die Hand. Und wenn er weiß, wer ich bin? Auf einmal bin ich überzeugt, dass er es weiß. Warum sonst hätte er mir so viel von dem Fall erzählen sollen? Ich könnte zu ihm reingehen, ihm sagen: *He, ich bin Franziska. Wenn du das wirklich ernst meinst, was du gerade über Claude gesagt hast, dann hilf mir, die Wahrheit rauszukriegen!*

Noch sind es nur fünf, sechs Schritte zurück zur Tür . . .

Franziska!, meldet sich meine innere Stimme. *Und wenn alles gelogen ist, nur damit er eine neue Story schreiben kann? Vielleicht war alles anders!* Oder: *Die Mörderin leugnet noch immer!*

Er will mit mir auf die Sommerparty, weil er mitkriegen will, wie ich mich erinnere und wie die anderen reagieren! Ich öffne die Faust und lasse die Karte in den Rinnstein fallen.

21

Hinter dem *Café Rosa* zweigt eine Straße ab, die zum Supermarkt führt. Es ist heiß, die Wolkenschicht hält die Hitze wie unter einer Glocke. Vielleicht zieht ein Gewitter heran.

Und jetzt? Warum bin ich eigentlich noch hier? Steckt wirklich ein Sinn hinter meiner Begegnung mit Benjamin? Und was soll ich mit dieser Information über Claude anfangen? Was hat es mit dem Emblem auf der Jacke von Niederreiter auf sich? Ich weiß nicht, was ich tun soll, jedenfalls nicht weiter hier rumstehen.

Die Hauptstraße führt links durchs Neubaugebiet und dann an den See, rechts zur Bushaltestelle und zu unserer ehemaligen Tankstelle. Rechts oder links? Links oder rechts?

Nein, nicht zur Tankstelle – und nicht zur Bushaltestelle. Oder doch? Ich könnte den Ein-Uhr-Zug nehmen . . .

Die Sache von letzter Nacht lässt mich nicht los. Immer wieder habe ich die abgebrochene Wodka-Flasche vor Augen, wie ich sie diesem Typ an seinen Hals halte. Ich weiß, dass ich es getan hätte. Ich wäre dazu fähig gewesen, ihn umzubringen. Doch dann kommt mir wieder Claude in den Sinn. Immer wieder Claude . . . Selbst Benjamin scheint diese Option für möglich zu halten. Ich würde gerne aufhören können, mich an diese trügerische Hoffnung zu klammern, dass ich es vielleicht doch nicht war. Aber etwas in mir will sich noch immer nicht damit abfinden, dass das schwarze Loch noch genauso dunkel ist wie zum Beginn meiner Reise. Fürchte ich mich eigentlich vor der Erinnerung oder fürchte ich mich mehr davor, mich nicht zu erinnern . . .?

Aus der Vortasche meiner Umhängetasche dringt gedämpft *Mamma Mia* von Abba. Die Erkennungsmelodie für meine Mutter.

Auch das noch.

»Hallo, Mama!«, versuche ich so unbeschwert wie möglich herauszubringen. Sie will wissen, ob alles in Ordnung ist, wie es mir geht, wie meine Freundinnen sind und ob ich nicht doch lieber nach Hause kommen will. Heute. Jetzt.

Ich versichere ihr, dass alles super läuft, dass die Reise so wichtig für mich ist und dass meine Freundinnen zu mir stehen. Als wir auflegen, fühle ich mich schäbig.

Links, entscheide ich – nicht zur Bushaltestelle.

Ich wollte zur Sommerparty, um mich zu erinnern. Deshalb bin ich hergekommen. Also werde ich bleiben. Nur noch heute Nacht, dann fahre ich heim.

Ich laufe runter zum See. Meine Beine fühlen sich bleischwer an, meine Tasche hängt wie ein Sack Kartoffeln an mir, meine Kopfschmerzen quälen mich und ich bin so müde, dass ich sicher bin, schon gar nicht mehr einschlafen zu können.

Geh weiter, Franziska, nur nicht hier stehen bleiben und zusammenbrechen.

Auf der anderen Straßenseite stößt ein blauer Van vom Parkplatz, das Aufheulen des Motors hat mich aus meinen Gedanken gerissen. Dann erst sehe ich, dass ich vor der *XS-Bar* stehe, von der Leonie gesprochen hat. *In die sogar Jungs aus München kommen.* Was war letztes Jahr hier eigentlich gewesen? Ein Getränkehandel, stimmt. *Bier-Berger* hat ihn mein Vater immer genannt, weil es dort alle Biersorten gab, die man sich vorstellen konnte. Jetzt prangen über dem Eingang Neonröhren, ein schnörkelloser Schriftzug zeigt den

Namen der Bar und über der Tür hängt ein buntes Schild, auf dem ein Cocktailglas abgebildet ist.

Mir ist, als würde gerade jemand seine Faust in meinen Magen rammen: Das Schild zeigt auf schwarzem Hintergrund ein Martiniglas mit roter Flüssigkeit und einer halben Zitronenscheibe auf dem Glasrand. Das ist . . . das ist definitiv das Motiv von der Postkarte, die Maurice Leonie geschickt hat. *Ich freue mich auf die Nacht mit dir. Maurice*

»Zufälle gibt's!«

Die raue Stimme erkenne ich sofort, sie lässt mich herumfahren und ich blicke direkt in das sonnengebräunte Gesicht von Kommissar Winter. Er sitzt auf der Beifahrerseite in einem dunkelblauen Passat, hat die Scheibe heruntergelassen. Das silbrig graue Haar ist akkurat gescheitelt. Das weiße Hemd steht lässig offen. Aber er ist nicht lässig. Kommissar Winters Gesicht ist wie eine unbewegliche, Angst einflößende Maske. Die tiefen Falten, die von seinen Nasenflügeln bis zum Kinn reichen, und die gebogene Nase geben ihm etwas von einem Raubvogel. So habe ich ihn auch immer empfunden: Wachsam und lauernd, um im geeigneten Moment auf seine Beute herunterzustoßen.

Ich erwidere nichts. Ich habe gelernt, bei der Polizei nur zu sprechen, wenn ich gefragt werde, und auf keinen Fall zu viel zu erzählen, denn alles kann gegen dich verwendet werden. Jedes Wort können sie dir im Mund herumdrehen.

Einen Moment lang überlege ich weiterzugehen, aber dann bleibe ich doch stehen. Den Fahrer sehe ich nicht.

Winter legt seinen gebräunten, haarigen Unterarm auf den Türrahmen. An seinem Handgelenk glänzt eine fette goldene Uhr in der Sonne.

»Mit dir hätte ich ja hier nicht gerechnet. Besuchst du alte

Freunde?«, fragt Winter und zieht dabei seine Augen zu Schlitzen zusammen. Ohne auf meine Antwort zu warten, redet er weiter: »Ich nehme an, du bist hier mit offenen Armen empfangen worden?« Ein widerliches Grinsen erscheint auf seinen Lippen. »Ganz schön mutig von dir, ausgerechnet heute hier aufzutauchen. Respekt, so viel Mumm hätte ich dir gar nicht zugetraut.« Seine Stimme trieft vor Ironie.

Er ist noch genauso gemein und verletzend wie vergangenes Jahr. Klar, das ist wahrscheinlich bisher der einzige ungelöste Fall in seiner Karriere. Aber so viel kann ihm dann doch nicht daran gelegen haben, ihn zu lösen, denke ich und erinnere mich an das, was Benjamin erzählt hat. Die Joints, die nicht untersucht worden waren.

Ich schaue in Winters spöttisches Gesicht und merke, wie meine Wut auf ihn wieder hochkommt.

»Na, sehr gesprächig bist du ja nicht gerade.« Seine Mund- und Augenwinkel zucken. »Warst du noch nie.«

Wieder antworte ich nichts. So hat es Katie bei der Polizei gemacht, hat sie einmal erzählt, als sie ausnahmsweise mal eine redselige Stunde hatte. Irgendwann geben sie auf. Irgendwann wird auch Winter aufgeben. Er hat ja nichts gegen mich in der Hand – außer dass er endlich gerne jemanden hinter Gittern sehen würde; und das bin natürlich ich.

Er hebt seine Nase in den Himmel, als habe er irgendeinen Duft wahrgenommen. »Heute feiern sie wieder. Wie letztes Jahr. Und, gehst du hin?«

»Vielleicht«, weiche ich aus.

»Das muss aber ziemlich schlechte Erinnerungen wecken, oder?«

Er hat schon immer das Talent gehabt, den Finger in die

Wunde zu legen. Langsam gehe ich weiter. Das Auto bleibt auf meiner Höhe.

»Pass auf, Franziska, du kannst froh sein, dass deine Freundinnen so zu dir halten. An deiner Stelle würde ich ihre Freundschaft nicht so überstrapazieren.«

Was will er eigentlich gerade erreichen? Dass ich hier ausraste? Dass ich endlich nachgebe und ein Geständnis abliefere? Ihm wäre wahrscheinlich jedes Mittel recht, um mich festzunehmen.

»Was ich sagen will, Franziska: Pack deine Sachen, verschwinde von hier und lass dich nie wieder blicken!«

Jetzt bleibe ich stehen. Meine Wut droht gleich überzubrodeln, macht mich wieder lebendig und wach. Provozierend sehe ich ihm in die Augen. »Und wenn ich es nicht war?«, frage ich ihn und meine Stimme ist dabei bedrohlich leise.

Der Satz irritiert ihn für ein paar Augenblicke. Er bedeutet dem Fahrer anzuhalten, dann beugt er sich noch ein Stück weiter aus dem Autofenster. »Du willst es also immer noch nicht wahrhaben? Wenn ich du wäre . . .«

Etwas in mir explodiert. Ich habe keine Kontrolle mehr über die Worte, die meinen Mund verlassen. »Wenn Sie ich wären, würden Sie sich doch sicherlich auch fragen, weshalb man eigentlich nie die Joints untersucht hat, die am Bootshaus gefunden wurden!«

Seine Miene bleibt unbewegt, doch ich glaube, ein Zucken seines rechten Augenlids wahrgenommen zu haben. Ich setze alles auf eine Karte. »Was ist, wenn die Joints am Bootshaus von Claude waren, der auf seinen Bruder gewartet hat?«

»Wovon redest du, Mädchen?« Man kann spüren, dass er nur so lässig tut. Sein Gesicht wirkt gerade alles andere als entspannt.

»Von Claudes Drogenkonsum und seiner Affäre im Bauamt«, sage ich und habe Mühe, mir den Triumph in meiner Stimme nicht anmerken zu lassen.

Winter ist still. Seine Lippen sind zwei aufeinanderliegende, dünne Linien, seine Augen zwei schmale Schlitze. Alle Zeichen stehen auf Angriff. Doch ich habe nichts mehr zu verlieren, mache selbstbewusst einen Schritt auf das Auto zu. Uns trennen nur noch wenige Zentimeter voneinander.

»Pass auf, Franziska«, seine Stimme klingt jetzt, als würde rostiges Metall aneinanderreiben. »Versteh es als gut gemeinten Rat: Wenn du hierbleibst und deine boshaften Beschuldigungen weiter rumposaunst, kriegst du es garantiert mit den Schneidbrenners zu tun. Und ich kann mir nicht vorstellen, dass deine Eltern begeistert darüber wären, auf Hunderttausende von Euro wegen übler Nachrede verklagt zu werden.«

Ich schlucke. Es ist so gemein . . . Diese Leute sitzen immer am längeren Hebel. Wieso habe ich mich nur zu dieser Bemerkung hinreißen lassen? Meine Wut auf Winter wendet sich plötzlich gegen mich selbst.

»Also, verschwinde von hier.« Er macht eine lässige Handbewegung. »Ach, und übrigens: Es gibt keine neuen Beweise gegen dich.«

»Was?«, bringe ich hervor und ärgere mich sofort, dass ich ihm zeige, wie überrascht ich bin. »Sie ermitteln nicht weiter, um mich zu . . . zu überführen?«

Ist das ein Grinsen, das da gerade über sein Gesicht gezogen ist?

»Du hast genug gebüßt, oder?«

Ich bin sprachlos.

»Aber falls du hier auf eigene Faust was durchziehst . . . kann ich für nichts garantieren.« Er nickt mir ernst zu.

Meine Handflächen sind feucht.

»Beschatten Sie mich?«, frage ich. Bedrohen Sie mich, hätte ich fragen – nein, ich hätte meinen Mund halten sollen.

Winter schnaubt durch seine Raubvogelnase. »Wieso, sollten wir?«

»Ich muss gehen«, sage ich. Dabei habe ich keinen blassen Schimmer, wohin. Nur weg. Weg von diesem Winter und seinen hinterhältigen Fangfragen.

»Der Zug nach Köln fährt in 'ner halben Stunde.« Er macht eine Kopfbewegung zur Hintertür. »Steig ein, wir bringen dich nach Prien. Ist billiger als ein Taxi.«

Los, mach schon!, drängt mich wieder diese Stimme. *Fahr heim, versuch, zu vergessen und ein neues Leben anzufangen!* Schon ist meine Hand am Türgriff. Doch da ist etwas, das mir nicht aus dem Kopf geht. »Warum haben Sie die Joints nicht untersucht?« *Gott, was tue ich hier eigentlich?*

Winters Ausdruck verdüstert sich. »Sag du mir nicht, wie ich meine Arbeit zu machen habe. Weißt du, wie viel Müll da rumlag? Und woher hast du das eigentlich?«

Es stimmt also, das mit den Joints.

»Ich kriege anonyme Drohbriefe, in denen steht, dass ich abreisen soll«, sage ich, anstatt zu antworten. Benjamin werde ich bestimmt nicht mit reinziehen.

Er runzelt die Stirn. »Drohbriefe? Warum bist du damit nicht zu mir gekommen?«

»Das gibt's doch nicht!«, sagt jemand in dem Moment.

Ich drehe mich um. Leonie und Vivian kommen die Straße herunter. Stimmt, sie wissen ja nicht, dass ich wieder zurückgekommen bin.

»He, überzeugt mal eure Freundin, dass sie heimfahren soll!«, ruft er ihnen zu. »Und du«, wendet er sich leiser an mich, »denk an deine Eltern. Du hast ihnen schon genug Sorgen gemacht. Der übernächste Zug geht zwei Stunden später.«

Der Wagen beschleunigt und ist im nächsten Moment an der Straßenkreuzung hinter dem *Modehaus Radler* verschwunden.

»He, Ziska!«, ruft Leonie völlig überrascht.

»Hat Winter dich wieder zurückgebracht?«, fragt Vivian.

22

Sofort überfällt mich ein Schuldgefühl. Sie sind meine Freundinnen und ich habe ihnen nicht gesagt, dass ich zurückgekommen bin.

»Nein. Es ist alles ziemlich kompliziert. Ich . . . bin gar nicht in den Zug gestiegen.«

Beide sehen mich fragend an. Ich weiß nicht, was und wie ich es ihnen erklären soll. »Claude . . .«, fange ich an.

Vivian legt die Stirn in Falten.

»Na ja, ich hab das Gefühl, dass ich hier erst noch was rauskriegen muss, ehe ich wieder nach Hause fahren kann.«

»Aha, und was?«, fragt nun Leonie mit zusammengezogenen Brauen.

Ich kann es ihnen nicht verübeln, dass sie mich so skeptisch betrachten.

»Warum gehen wir nicht einfach ein Eis essen«, sagt schließlich Vivian aufmunternd. »Dann kannst du uns erzählen, was passiert ist . . . und was dieser Winter von dir wollte.«

Leonie sieht nachdenklich aus. »Sonst kommt er doch nur zum Golfen und Segeln hierher.«

Vivian schüttelt den Kopf. »Er – ich meine seine Frau hat doch das alte Haus mit Steg gekauft.«

»Das von den Steichens?«, fragt Leonie.

Ich erinnere mich an das alte, düstere Bauernhaus mit den knorrigen Bäumen, dessen Anwesen bis an den See heranreicht. Steichen, ein alter Ethnologe, glaub ich, hat nie jemanden gegrüßt und ist immer mit finsterer Miene durch den Ort spaziert.

Vivian nickt. »Der Alte musste ins Heim. Und seine Kinder waren scharf auf die Kohle. Muss auch komplett saniert werden, das Haus.«

Winters Frau kommt vom Chiemsee, fällt mir wieder ein. Sie hat ihren goldenen Jaguar Coupé immer bei uns aufgetankt, wenn sie sonntags abends auf dem Rückweg nach München war. Hat mir später mein Vater erzählt.

»Los, gehn wir!«, sagt Vivian und schlägt den Weg in Richtung Eisdiele ein.

Diesmal steht ein anderes Mädchen hinter der Eistheke. Sophie hat wahrscheinlich frei. Obwohl ich mir vorgenommen habe, mich nicht mehr von ihr provozieren zu lassen, bin ich nun doch etwas erleichtert, dass sie nicht da ist. Es ist einfach schon so viel passiert in den letzten Tagen und ich fühle mich ausgepowert.

Ich bekomme mein Malaga und Pistazie anstands- und kommentarlos. Wieder draußen auf der Straße stellen wir uns ein wenig abseits der Tische. Vivian sieht von ihrem Eis auf und fragt: »So, und jetzt erzähl mal, was du rausgekriegt hast!«

Ich räuspere mich. Wie soll ich anfangen? »Angeblich war Claude auf der Sommerparty.«

»Wer erzählt denn so 'nen Mist?« Vivian verzieht das Gesicht, als hätte sie Zahnweh.

»Außerdem war er ganz gut in der Drogenszene unterwegs. Am Bootshaus haben Zigarettenstummel, na ja ... Jointstummel rumgelegen. Die Polizei hat sie aber nicht untersucht.«

Vivian sieht mich über den Rand ihrer türkisfarbenen Eiskugel an.

»Kippen?«

»Ja, vor dem Bootshaus, an einer Ecke, lagen zwei gerauchte Joints herum.«

»Das hört sich ja an wie bei Agatha Christie!«, bemerkt Vivian bissig.

»Willst du jetzt durch den Ort gehen und die Leute fragen, ob sie kiffen?« Leonie runzelt die Stirn. »Das heißt: Nein, du bist sicher, dass sie von Claude sind. Er hat seinen Namen draufgeschrieben.«

Ich werde mich nicht ärgern, sage ich mir und antworte so sachlich wie möglich: »Wenn sie wirklich von Claude sind, dann hat er vielleicht Maurice aufgelauert, um ihn zur Rede zu stellen wegen dieser Affäre mit der verheirateten Frau und dass die Schneidbrenners daraufhin Claude aus dem Geschäft . . .« Mit jedem Wort kommt mir die Sache unrealistischer vor.

»Und?«, fragt Vivian scharf.

Ich zucke die Schultern. »Der Streit ist handgreiflich geworden . . . Claude hat Maurice . . .«

»Du meinst, es war Claude?«, ruft Leonie aus. »Claude hat seinen eigenen Bruder getötet?«

Ich seufze. »Ja.«

Leonie starrt mich an.

»Und das traust du Claude zu?«

»Wenn ich es mir zutraue, dann traue ich es . . . jedem zu!« Ich habe geschrien, merke ich und zucke zusammen. Ein paar Leute, die vor dem Café ihre Eisbecher essen, sehen zu uns herüber und schütteln den Kopf.

Vivian mustert mich. »Du willst es nicht wahrhaben, Ziska, was?« Sie wirft ihr halb gegessenes Eis in den Rinnstein und sieht mich mit diesem abschätzenden Blick an, der nichts Gutes erwarten lässt.

»Hör zu, Ziska. Wir sind deine Freundinnen und deshalb haben wir dich die ganze Zeit unterstützt. Wir haben dir geschrieben, wir haben dir zugehört und wir haben dich getröstet. Weil du unsere Freundin bleibst, trotz dem, was du getan hast. Weil man selbst vielleicht auch in so eine Situation kommen könnte. Wir dachten, das ist okay, das hilft dir. Damit haben wir aber offenbar falsch gelegen. Du gibst nicht auf, bei jemand anderem die Schuld zu suchen.« Sie seufzt und sieht erst auf ihre Schuhe, dann mir in die Augen. »Du willst die Wahrheit, ja?«

»Ja!«

»Egal, wie sie ausfällt?«

Ja, will ich antworten, doch kurz erhebt sich das dunkle Gemäuer des Gefängnisses vor meinen Augen, ich höre das Geräusch des Schlüssels, wenn abends die Zelle verschlossen wird, rieche das billige Parfüm meiner Mitinsassin . . . und dann sage ich es doch: »Ja, verdammt!«

Vivian tauscht mit Leonie einen Blick, nickt. »Gut. Wir wollten dich damit verschonen, aber jetzt müssen wir es dir wohl sagen.«

»Was?« Was zum Teufel meint sie damit? Hilfe suchend sehe ich Leonie an, doch sie weicht meinem Blick aus.

Vivian räuspert sich. »Nadia.«

Leonie zuckt zusammen.

»Nadia?«, frage ich. »Was ist mit . . .«

»Sie hat am Bootshaus gestanden, mit einem Jungen gekifft – und . . . na ja, sie hat euch gesehen – und gehört.«

»Was?« Ich kann es nicht fassen. »Leonie, du hast das die ganze Zeit gewusst?«

Leonie starrt mich an, das Eis ist über ihre Hände gelaufen und tropft auf den Boden.

»Wir haben ihr eingeschärft, nichts zu sagen, weil du damit geliefert wärst«, erklärt Vivian. »Sie hat sich dran gehalten.«

»Sie hatte ganz schön Angst, dass Winter und seine Leute anfangen, blöde Fragen zu stellen«, schaltet sich nun Leonie ein.

Vivian nickt. »Ihr habt euch gestritten. Dann hat's geknallt.« Sie legt mir ihren Arm um die Schulter. »Du warst stinksauer – zu Recht, wie du ja jetzt auch weißt! Und dann ist es passiert! Leonie, es war ein Unfall!«

Ich fühle mich tot.

»Nadia hat dir helfen wollen, Ziska!« Vivian sieht mich mitfühlend an. »Ich glaube, im Gefängnis haben sie dir ausgetrieben, an das Gute im Menschen zu glauben.«

Der Kloß in meinem Hals ist so dick geworden, dass mir Tränen in die Augen steigen. Ich schlucke und habe das Gefühl, dass ich keine Luft mehr bekomme. Was soll ich jetzt bloß tun? Einfach nach Hause fahren und alles auf sich beruhen lassen? Bis zu meinem Lebensende ein düsteres Geheimnis mit mir herumtragen? Oder soll ich mich stellen und für meine Tat büßen? In mir regt sich der altbekannte Widerstand. Ich will es nicht getan haben. Was ist mit Claude und was mit Benjamins Theorie?

»Ich will mit Nadia reden! Sie soll mir noch einmal alles erzählen!«

»Ziska!«, schreit Leonie auf, »weißt du, wie lang sie gebraucht hat, das alles zu verdauen? Außerdem war sie die ganze Zeit über selbstmordgefährdet! Und da kommst du nach einem Jahr und willst alles wieder aufwühlen? Keine Chance, Ziska! No way!« Wutentbrannt sieht sie mich an.

Von den zwei besetzten Tischen des *Venezias* sehen wieder zwei Pärchen zu uns herüber.

»Okay!«, versuche ich sie zu beruhigen, »ich hab's ja kapiert. Ich werde Nadia in Ruhe lassen. Winter hat mir sowieso gesagt, dass es keine weiteren Ermittlungen gibt.«

»Ach, wirklich?«, fragt Vivian erstaunt.

»Dann . . . dann kommst du nicht wieder ins Gefängnis?«

Ich schüttle den Kopf. »Sieht nicht danach aus.«

»Aber Ziska!«, ruft Leonie aus, »warum hörst du dann nicht endlich auf, dich zu quälen! Fahr heim, genieß dein Leben!«

Als ob das so einfach wäre. »Ich kann nicht«, sage ich.

»Wie, du kannst nicht? Mann, stell dich doch nicht so an!«

»Da ist noch immer dieses schwarze Loch in meinen Erinnerungen . . .«

Vivian kratzt sich den Kopf. Ihr abstehendes Haar sieht heute aus, als hätte sie einen roten Igel aufgesetzt.

»Und, wie soll's jetzt weitergehen?«

»Ich muss noch einen Besuch machen«, sage ich langsam. Es ist mir eben erst eingefallen. Die beiden sehen mich skeptisch an. Sie halten mich für neurotisch.

»Ich muss zu Ritter«, sage ich tapfer.

»Zu dem?«, ruft Leonie aus und Vivians Blick verdüstert sich. »Wieso zu Ritter? Zu ihm hast du als Erstem gesagt, dass du es warst! Du bist ja total masochistisch drauf!«

Ich zucke die Schultern. »Ich will es einfach noch mal von ihm hören.«

»Wieso? Denkst du, ihm fällt plötzlich ein, dass du doch was anderes zu ihm gesagt hast?«, fragt Vivian.

»Nein, es ist nur . . . versteht doch, ich *will* mich an jedes Detail erinnern.«

»Du spinnst ja! Echt!«, sagt Leonie mit schmalen Lippen.

»Du kannst einfach nicht aufhören! Du ziehst dich immer tiefer rein!«

Vivian schüttelt den Kopf. »Dir ist nicht zu helfen, Ziska! Komm, Leonie«, Vivian dreht sich um, »unsere Reitstunde fängt gleich an.«

»Moment noch!« Leonie fasst mich am Oberarm. »Geh zu Ritter, mach, was du willst, aber lass Nadia aus dem Spiel.«

Ich nicke. »Ja, natürlich.«

Prüfend sieht sie mir in die Augen. »Bestimmt«, bestätige ich.

»Gut.« Erst jetzt lässt sie meinen Arm los.

Ich sehe ihnen hinterher. Es tut mir weh, sie so zu enttäuschen. Ich weiß, dass sie zu mir stehen und mir helfen wollen. Doch ich kann mein Leben nicht einfach genießen, so wie sie es tun. Sie haben nie in diesen dunklen Abgrund der Ungewissheit gesehen, in den alles Schöne, jede Sorglosigkeit hinabstürzt. Sie wissen nicht, wie es ist, mit der Angst vor sich selbst zu leben, jeden Tag, jede Nacht. Ich brauche Gewissheit über diese entscheidenden Minuten im Bootshaus. Ich muss mich erinnern, was ich tatsächlich getan habe.

Ich drehe mich um und schlage die Richtung zu Olaf Ritters Haus ein.

23

Vergangenheit

Seitdem Olaf Ritter mich gefunden hatte, hielt ich das Ruder umklammert. Und auch als er per Handy die Polizei verständigte, ließ ich es nicht los.

Die zuständigen Beamten führten mich sofort ab, schoben mich auf die Rückbank des Polizeiautos und fuhren mit mir davon. Der Tag graute, Nebel lag über der Wiese, der Schwenkgrill schaukelte einsam und leer über dem Steinkreis, in dem noch vor ein paar Stunden ein flammendes Feuer gebrannt hatte. Vor ein paar Stunden – als ich noch eine andere war. Mein Gehirn war erstarrt, gestockt, wie Eiweiß in der Hitze. Die beiden Polizeibeamten redeten leise miteinander, ich konnte sie nicht verstehen, und so starrte ich bloß zum Fenster hinaus. Immer wieder flackerte plötzlich die Hoffnung auf, dass ich gleich aufwachen würde und alles wäre gut. Doch jedes Mal wurde ich enttäuscht. Das hier WAR die Wirklichkeit.

Erst als wir auf der Hauptstraße ankamen und ich unsere Nachbarin aus der Bäckerei herauskommen sah, fielen mir meine Eltern ein.

»Haben Sie meine Eltern benachrichtigt?«, wollte ich die Beamten fragen, doch ich brachte kein Wort heraus. Eine dicke Glasscheibe trennte mich von der Außenwelt und ich konnte die anderen weder berühren noch konnten sie mich hören. Ich war allein und sie konnten nun mit mir machen, was sie wollten.

Die Polizeistation in Prien roch nach Kaffee und Leberwurst. Gerüche nimmt man zuerst wahr, sie werden im Stammhirn verarbeitet, dem ältesten Teil des menschlichen Gehirns. Darüber hatte ich ein paar Wochen zuvor ein Referat gehalten. All das ging mir durch den Kopf, als sie mir Blut für einen Bluttest abnahmen und mich dann durch einen grauen Flur in ein Büro führten.

»Kommissar Winter aus München«, stellte sich der gepflegte Grauhaarige mit der Adlernase vor, der hinter dem Schreibtisch saß. Irgendwie kam er mir bekannt vor. Aber ich wusste nicht, woher. Die Frau, die hinter mir stehen blieb, war seine Kollegin, glaubte ich zu verstehen. Es war eine kleine Dünne mit aschblondem, strähnigem Haar und Hängepulli. Sie lächelte mich sogar mal an, vielleicht wollte sie mich trösten. Aber ich war nicht zu trösten. Ich wollte nur noch ... sterben.

Im Nachhinein erfuhr ich, dass Kommissar Winter auch schon im Bootshaus gewesen war. Ich musste ihn übersehen und jedes Zeitgefühl verloren haben.

Die Fragen zu meinem Namen und Geburtsort und so weiter beantwortete ich mechanisch. Mir war, als spräche nicht ich, sondern ein Automat, ein altmodischer Sprechapparat. Franziska Krause, geboren dann und dann, wohnhaft in Kinding, besucht die 10. Klasse des Augustinus-Gymnasiums, Eltern Eva und Martin Krause, Pächter der BP-Tankstelle Kinding, blablabla.

»Warum warst du im Bootshaus?«, drang die Frage zu mir durch.

Es war also Wirklichkeit: Ich war tatsächlich im Bootshaus gewesen, es war kein Traum. Und all das andere ... war dann auch kein Traum.

Ja, warum war ich eigentlich dort gewesen? Ich stehe auf der Bühne, singe, Maurice winkt mir zu, nachher jubeln alle, wir sind glücklich, Maurice steigt auf die Bühne, umarmt, küsst mich, wir laufen über die nachtfeuchte Wiese . . .

»Maurice wollte ein Boot besorgen, damit wir über den See rudern können«, erklärte ich.

»Und, seid ihr?« Der Kommissar hob die Augenbrauen. Keine Spur von Nachsicht. Er machte mir Angst mit seinen blendend weißen Zähnen, die zum Vorschein kamen, wenn er lächelte.

Ich dachte nach. Ich sah den Mond auf dem See glitzern, hörte, wie die Ruderblätter ins dunkel glänzende Wasser eintauchten, sah hinter uns die doppelte Spur kleiner Strudel, die die Paddel hinterließen. Aber ich konnte im Boot niemanden sehen, weder mich noch Maurice. Es war ein leeres Boot . . . ein Geisterboot, das da über den See glitt . . .

»Ich weiß nicht mehr.« Das war die Wahrheit. Verzweifelt kramte ich in meinem Gedächtnis. Es war ein so schreckliches Gefühl, sich nicht erinnern zu können. Warum war mir das passiert? Die Beule an meiner Stirn und die an meinem Hinterkopf taten weh, aber sie konnten doch nicht allein der Grund dafür sein, dass ich alles vergessen hatte?

»Du weißt nicht mehr, ob ihr in ein Boot gestiegen und auf den See hinausgerudert seid?«, fragte der Kommissar ungläubig. Seine Augen waren kalt und hart. Ich habe noch nie jemanden mit solchen Augen gesehen. Noch nicht mal im Fernsehen.

»Nein . . .«, sagte ich und merkte, wie meine Stimme zitterte.

»Was habt ihr dann im Bootshaus gemacht?«, fragte er.

Ja, was haben wir gemacht? Ich starrte auf die Hände des Kommissars. Sie waren groß und braun und behaart und der

Kugelschreiber, mit dem sie spielten, war viel zu dünn und zerbrechlich für diese Hände.

»Und?«, drängte er.

Maurice' Nacken, sein Geruch, seine Lippen, sein Kuss.

»Wir haben . . .« Ich stockte, wollte diesem fremden, kaltherzigen Mann da nicht das Schönste, Wichtigste anvertrauen. Er würde es kaputt machen, zerreißen, in den Schmutz zerren. Ich wollte es für mich behalten, bewahren, damit es mir niemand nehmen konnte.

Winter beugte sich weiter über den Schreibtisch zu mir. »Ihr habt . . . was?«

Ich schluckte. *Nein, ich sage es ihm nicht.* »Wir haben geredet.«

Ein falsches Lächeln flog über sein Adlergesicht. »Geredet. Verrätst du uns auch, worüber?«

»Über . . . über den Song davor, auf der Bühne . . . Den Song, den ich auf der Bühne gesungen habe.« Jedes Wort brachte mir ein Stück Erinnerung zurück. Der Song. Die Bühne. Der Drink. Die Pillen. Die Wiese.

»Und dazu seid ihr ins Bootshaus gegangen?«

Das Bootshaus. Das Boot. Das Ruder . . .

»Ja. Wir wollten ja über den See rudern.«

»Kann es sein, dass . . . dass Maurice zudringlich geworden ist?«

»Was?« Was sollte dieser Quatsch?

Die Assistentin in meinem Rücken schaltete sich ein. »Er wollte vielleicht was von dir, dich küssen? Sex?«

Ich drehte mich zu ihr um. »Nein!«, sagte ich viel, viel zu laut. Den Kuss würde ich mir nicht nehmen lassen. Niemals! Ich atmete tief durch und sagte: »Wir haben geredet. Das war alles.« Ich wartete darauf, dass auch dies in meiner Erinnerung Wirklichkeit würde, aber es geschah nicht. Wir haben nicht geredet. Oder doch?

»Okay«, beschwichtigte Winter. »Er wollte also keinen Sex, keinen Kuss.« Er machte eine Pause und starrte mich an, als wollte er mit seinem Blick in mein Gehirn eindringen. Seine Finger spielten mit dem zerbrechlichen Kuli. »Herr Schneidbrenner – also der Vater von Maurice – wollte euren Pachtvertrag vorzeitig auflösen.«

Er starrte mich abwartend an, doch da ich seinem Blick scheinbar völlig verständnislos begegnete, fuhr er fort.

»Nun, ihm gehört schließlich das Grundstück mit der Tankstelle und dem Haus, das deine Eltern gemietet haben. Er wollte ein Gesundheitszentrum dort hinstellen. Ich kann mir vorstellen, dass dich das ganz schön wütend gemacht hat. Vielleicht wolltest du Maurice ja damit konfrontieren und hast . . .«

»Davon weiß ich nichts«, antwortete ich wahrheitsgemäß.

»Nein? Hat dir dein Vater nichts davon gesagt? Hm. Das ist doch eine ernste Familienangelegenheit, also ich würde meiner Tochter . . .«

»Er hat mir aber nichts gesagt!«, schrie ich und er verstummte. »Woher wollen Sie überhaupt wissen, dass Schneidbrenner den Pachtvertrag mit meinem Vater auflösen will?«, hörte ich mich fragen.

Er ignorierte meine Frage. »Okay, dein Vater hat dir also nichts gesagt«, fuhr er unbeirrt fort. »Nehmen wir mal an, ihr habt über andere Mädchen geredet, Freundinnen. Maurice war ein attraktiver, gut aussehender Junge. Du warst bestimmt nicht die Einzige, mit der er was hatte. Du bist wütend geworden und dann . . .« Er sah kurz auf, als ein Mitarbeiter ihm einen Zettel brachte, hob die Augenbrauen und schickte ihn weg. Dann grinste er mich an. »Na, wie ich gerade hier sehe, hattet ihr ja auch ordentlich Alkohol intus, außerdem Amphetamine – Ecstasy . . .«

Der bunte Schmetterling fiel mir ein, aber ich blieb stumm.

Winter wurde wieder ernst und durchdrang mich mit seinem Blick. »Dann hast du das Ruder genommen und auf ihn eingeschlagen. Aus Wut. Verständlich. Noch dazu unter dem Einfluss von Drogen. Er war tot. Und du, du bist ausgerutscht und hast dir eine Beule geholt.«

Ich konnte mich nicht erinnern. Plötzlich war ich gar nicht mehr sicher, ob Maurice und ich im Bootshaus überhaupt miteinander geredet hatten. Das Einzige, was ich klar und deutlich sah, waren Maurice' offene, tote Augen, als ich mich mit dem Ruder in der Hand über ihn gebeugt hatte.

»Du bist ja schon mal wegen Alkoholmissbrauch aufgefallen.« Er hatte die Augenbrauen weit in die Stirn gezogen, als er ein Blatt in die Hand nahm und las. »Oh ja, du hast das Auto deines Vaters gestohlen, Spirituosen aus der Tankstelle und bist alkoholisiert ohne Führerschein Auto gefahren, und das mit knapp sechzehn. Was hast du damals als Grund angegeben?« Er hielt das Blatt etwas weiter weg, *wahrscheinlich ist er kurzsichtig,* dachte ich, nur um mich abzulenken von dem, was er gleich vorlesen würde. Er räusperte sich: »Es war so eine blöde Idee, es mal wie in dem Film zu machen, den ich gesehen habe.« Er ließ das Blatt sinken und blickte auf. »An den Filmtitel konntest du dich aber nicht erinnern. Tja, also, ein Unschuldslamm bist du wirklich nicht!«

Meine Eltern haben die Version, die ich damals zu Protokoll gegeben hatte, nie geglaubt, aber irgendwann haben sie es aufgegeben, nach der Wahrheit zu fragen.

»Tja, und gestanden hast du deine Tat ja auch schon, und

zwar Olaf Ritter, dem Referendar an eurer Schule.« Er lehnte sich zurück und verschränkte die Arme vor der Brust. »Jetzt wollen wir es nur noch mal von dir hören.«

24

Drosselweg 48. Das weiß ich, die Adresse habe ich mir eingeprägt, und im Gefängnis und später in der Klinik kam sie mir immer wieder ins Gedächtnis. Olaf Ritter, Drosselweg 48. In diesem Neubauviertel mit den weißen Reihenhäusern, den roten Ziegeldächern und braunen Lattenzäunen tragen alle Straßen Vogelnamen. Im Amselweg wohnt Sophie vom *Venezia,* erinnere ich mich, im Rotkehlchenweg unsere Sportlehrerin, Frau Riemann, es gibt noch den Elsterweg und den Finkenweg, dann schließt sich das Neubaugebiet mit den Blumennamen an. Veilchenweg, Rosenweg, Tulpenweg . . .

Das alles geht mir durch den Kopf, während ich die Straße entlanglaufe, den Blick auf die Hausnummern gerichtet, und dabei immer langsamer werde.

25

Vergangenheit

Das Bootshaus. Um uns war Dunkel. Feuchtes, modriges Dunkel. Meine Hand lag in seiner. Sie war warm und größer als meine. Es fühlte sich gut an. Er hielt mich fest. Mir war schwindlig und in meinem Kopf schwirrten alle Gedanken und Bilder der letzten Tage herum, wie wild und aufgeregt umherflatternde Vögel in einem Vogelhaus. Einen kurzen Moment dachte ich darüber nach, dass ich doch wieder getrunken hatte, und dann sah ich das kaputte Auto nach dieser furchtbar blöden Mutprobe vor mir. *Aber diesmal ist es anders, diesmal wird nichts Schreckliches geschehen,* sagte ich mir und genoss wieder Maurice' Nähe.

Mittlerweile hatten sich auch meine Augen an die Dunkelheit gewöhnt. Der schwache Schein des Mondes, der durch ein Fenster neben der Tür und ein paar fehlende Dachschindeln hereinfiel, ließ Maurice' Haar silbrig glänzen. Es sah unwirklich aus, als wäre er ein Besucher aus einer fremden Welt, der von einem Mondstrahl auf die Erde gebeamt worden war. Ich konnte es immer noch nicht fassen, dass er mit mir hier war. Sein warmer Atem streifte meine Wange und meinen Hals. Mein Schwindelgefühl wurde stärker und das Schwirren in meinem Kopf auch. Ich spürte seine Lippen auf meinen und seine Nasenspitze berührte meine und seine Arme hielten mich und ich fühlte mich so wunderbar leicht und so lebendig und zugleich war mir, als würde ich gleich ex-

plodieren, mich in tausend farbigen Funken versprühen –
erst in diesem Moment fing mein Leben an.

»He, wollen wir immer noch über den See rudern?«, flüsterte er in mein Ohr.

»Klar!« Ich sah schon über uns den Sternenhimmel und unter uns, auf dem Wasser, seine Spiegelung. Ich löste mich
von Maurice, drehte mich zu dem Boot um, das da auf den
Holzplanken lag, bückte mich nach einem der beiden Ruder.
In diesem Augenblick blitzte etwas am Eingang auf, ein sil-
berner Blitz aus dem Dunkel, die Herren der Finsternis,
schoss es mir noch durch den Kopf, dann traf mich ein
Schwert.

Eine milchige Helligkeit trat vor meine Augen. Etwas war
passiert. Mein Kopf dröhnte, als spielte dadrin eine ganze
Mannschaft Squash. Ich versuchte, meine Glieder zu spüren
und dann die Augen zu öffnen. Doch da war plötzlich eine
fürchterliche Angst vor dem, was ich sehen könnte. Und so
kniff ich die Augenlider zusammen, wehrte mich gegen den
Drang, mich aufzurichten. Aber irgendetwas war stärker als
die Angst vor dem Jetzt. Wo war ich? Und warum fühlte ich
mich so?

*Die Sommerparty, richtig. Ich singe auf der Bühne, alle ju-
beln mir zu. Und da ist Maurice. Das Bootshaus. Maurice
hält mich und dann seine Lippen auf meinen . . .*

Ich riss die Augen auf. Fahl leuchtete etwas vor mir. Das
Schwert?

Dann bemerkte ich, dass ich kein Schwert, sondern ein Ruder umklammert hielt. *Wir wollten auf den See rudern,* erinnerte ich mich. Wir. Maurice und ich. *Wo ist er?*

Mein Blick fiel auf das dunkle Bündel vor mir. Ich zog mich

am Ruder hoch, stützte mich und machte zwei Schritte. Das Bündel war ein Körper. Halb an die Bootswand gelehnt. Meine Gedanken froren ein. Ich bückte mich, das Ruder mit der einen Hand noch immer fest umklammert. Die schwarzen Locken waren nass, und als ich sie aus seiner Stirn streifte, traf mich der Blick aus seinen aufgerissenen Augen. »Maurice!«

»Was ist denn hier los?«, rief jemand und dann sah ich ein kantiges, bleiches Gesicht über mir. »Was hast du getan?«

Das Gesicht starrte mich an. Entsetzt. Ungläubig. Olaf Ritter, Referendar für Englisch. Mein Blick folgte seinem und wanderte über die toten Augen von Maurice und dann über das Ruder hinauf zu meiner Hand, die es noch immer hielt.

»Ich hab ihn umgebracht!«, flüsterte ich. »Ich hab ihn umgebracht!«

26

42 . . . 44 . . . 46 – der Vorgarten der 48 ist der bunteste, üppigste und blühendste der ganzen Straße. Bepflanzte Zinkwannen, Schalen, ausgehöhlte Baumstümpfe. Ich versuche, mir Olaf Ritter mit Gummistiefeln und Gartenschere vorzustellen. Unmöglich.

Ich bin sicher, dass sich seine Frau um Haus und Garten kümmert. Susanne Ritter. Wir waren alle ziemlich überrascht, als wir sie zum ersten Mal sahen. Sie war mindestens zehn Jahre älter und zwanzig Kilo schwerer als er. Sah eher aus wie seine Mutter. Na ja, oder wie seine pummelige große Schwester.

Ich schwitze in der Mittagshitze. *Eine Dusche wäre toll,* denke ich.

Mein Finger berührt den Klingelknopf, während meine Beine einfach die Straße weiterlaufen wollen.

Hier wohnen die Ritters, steht auf einer selbst gemacht aussehenden blau-gelben Tontafel. *Wie nett und brav!,* denke ich und finde mich gleich ziemlich gemein. Er kann ja nichts dafür, dass er mich gefunden hat!

Vielleicht ist er nicht da. Ich habe noch nicht mal die Klingel innen gehört. Vielleicht ist sie ja kaputt . . . doch dann geht die Tür mit dem Blumengesteck-Kranz auf.

»Du?«

Olaf Ritter könnte Langstreckenläufer sein mit seinen langen, schlanken Gliedmaßen. Sein Gesicht ist schmal und kantig, aber längst nicht so mager und eckig, wie es mir nachts im Gefängnis erschienen ist. In den ausgewaschenen Jeans und den Chucks und dem kurzen Haarschnitt sieht er ziemlich gut und jung aus. Fast genauso gut wie letztes Jahr, als er noch Referendar war.

»Guten Tag«, sage ich tapfer. *Mein Gott, warum bin ich eigentlich hier?*

Er bemüht sich noch nicht mal zu lächeln. »Ich hab leider nicht viel Zeit, aber was kann ich für dich tun?«

Dass er mich so schnell los sein will, habe ich nicht erwartet. Hätte ich mir aber denken können.

»Ich . . . ich versuche, mich zu erinnern . . .« Warum bringe ich das nicht flüssig über die Lippen? Schäme ich mich denn dafür?

Langsames Nicken. In seinem Kopf, das spüre ich, verheddern sich seine Gedanken. *Tut sie nur so, als könne sie sich nicht erinnern?* »Und?«, fragt er ungeduldig und hebt erwartungsvoll die Brauen über seinen blauen Augen.

Olaf Ritter. Der Mädchenschwarm.

Noch immer steht er in der Tür, kein Anzeichen, dass er mich hereinbitten will. Ich muss ihm die Frage stellen, die mich all die Tage und Nächte im Gefängnis gequält hat. Sicher, ich hätte ihm einen Brief schreiben können, aber ich will sein Gesicht dabei sehen.

Ich hole Atem. »Als Sie in jener Nacht ins Bootshaus gekommen sind . . .«

Seine Augen werden schmal und lauernd, als erwarte er eine Falle, einen Angriff.

». . . was haben Sie da zuerst gesehen?«

»Was soll die Frage?«

Schon wieder wächst dieser Kloß in meinem Hals. Ich räuspere mich. »Wieso waren Sie sofort sicher, dass ich Maurice . . .«, es fällt mir schwer, es auszusprechen, »erschlagen habe?«

»Was willst du damit sagen?«

Wahrscheinlich ist es ihm total lästig und unangenehm, an die Sache erinnert zu werden.

»Du hast es selbst gesagt. Du hattest das Ruder in der Hand und hast vor dem toten Maurice gestanden. Und dann dein Blick, als ich reinkam! ›Ich hab ihn umgebracht!‹, hast du entsetzt geflüstert, immer wieder. Und dann bist du zusammengebrochen und hast geweint.«

Hab ich erwartet, dass er jetzt etwas ganz anderes sagt? Ich schlucke. Jetzt nicht aufgeben! »Ich sehe immer wieder einen silbernen Blitz, wenn ich versuche, mich zu erinnern. Wissen Sie, was das sein könnte?«

Ohne Zögern schüttelt er den Kopf. »Nein, keine Ahnung.«

»Aber vielleicht gibt es ja doch etwas . . .«, versuche ich es noch einmal.

Er zieht die Brauen hoch und sieht auf seine Uhr, ganz schnell, kurz, aber es ist mir nicht entgangen.

»Franziska, manchmal konstruiert sich das Gehirn etwas, weil es die Wahrheit nicht ertragen kann.«

Ja, das hat Dr. Pohlmann auch gesagt, trotzdem bin ich enttäuscht. Ich hatte mir etwas erhofft, eine neue Erkenntnis, ein neues Detail, irgendetwas, das mir endgültige Gewissheit bringen würde.

»War denn Maurice . . . ich meine, Sie kannten ihn ja ein bisschen länger als ich . . . Also, war er wirklich eher so ein Mädchenschwarm, der sich einfach genommen hat, was er haben wollte?«, frage ich doch noch. »Also, ich kann mir einfach nicht . . .«

»Wieso fragst du mich? Das wissen deine Freundinnen sicher besser, oder nicht?« Da ist ein Zucken um seine Mundwinkel – und wie er das Wort »Freundinnen« ausgesprochen hat – irgendwie . . . verächtlich.

»Was haben Sie gegen meine Freundinnen?«, wage ich zu fragen.

Die Röte schießt ihm ins Gesicht. »Nichts«, sagt er schnell.

»Olaf?« Seine Frau Susanne, Gemeinderätin in Prien, steht auf einmal hinter ihm im Türrahmen.

Sie ist das komplette Gegenteil von ihm. Altbacken statt jugendlich, überbordend statt asketisch. Sie trägt ein längeres orangefarbenes Leinenkleid, darüber eine gehäkelte Stola und eine schwere bunte Holzkette. Ihr erstaunter Blick wird freundlich, als sie mich erkennt.

»Franziska? Franziska Krause?«

Dass sie sich an meinen Namen erinnern kann! *Die Namen von Mörderinnen graben sich nun mal ins Gedächtnis ein,* sagt eine kalt klingende Stimme in meinem Kopf. Selbst wenn ich schon lang gestorben bin, wird man in der Gegend noch immer wissen, was Franziska Krause getan hat. *Warum lächelt mich Susanne Ritter an?,* frage ich mich. Und dann fällt mir ein, dass sie ja Politikerin ist und Übung in solchen Dingen hat.

»Komm doch rein!«, sagt sie und drängt ihren Mann zur Seite. »Olaf, du wolltest uns doch gerade sowieso einen Eistee machen.«

Eistee. Meine Zunge klebt am Gaumen. Ich merke, dass ich wahnsinnigen Durst habe, und trotzdem wird mir übel bei dem Gedanken.

Olaf Ritters Lächeln bekommt etwas Gezwungenes. Ihm ist es nicht recht, dass ich da bin. Einen Augenblick lang überlege ich, ob ich ablehnen und wieder gehen soll. Doch dann sage ich mir, dass es schließlich sein Problem ist.

Frau Ritter führt mich durch den schmalen Reihenhausflur ins Wohnzimmer. Es ist ein enger Raum, mit Esstisch, Stühlen, Couch und einem altmodischen Fernseher vollgepackt. Plüschige, bunte Kissen liegen überall auf dem Sofa, sodass man gar nicht weiß, wo man sich hinsetzen soll. Die große Glasscheibe hinter der Couch gibt den Blick auf den kleinen, aber dicht mit Büschen bepflanzten Garten frei. Eine Holzbank steht da, umrahmt von üppig bewachsenen Blumentöpfen.

»Schatzilein, der Tee!« Susanne Ritter sieht mich mit ihren großen Augen mütterlich-sorgenvoll an, während ihr Mann in die Küche geht und mit dem Geschirr klappert.

»Setz dich doch«, sie zeigt auf die Couch, »ich darf doch noch Du sagen, oder?«

»Ja, klar.« Ich drücke mich zwischen die Lehne und ein fettes, rotes Kissen mit Quasten. Susanne lässt sich in einen weichen Sessel sinken.

»Pass auf, Franziska, wir wollen im Jugendstrafrecht einiges ändern. Ich kandidiere ja in diesem Herbst für das Bürgermeisteramt.« Sie setzt sich aufrechter. »Jugendliche hinter Gitter zu stecken ist keine Lösung.« Sie fummelt an ihrer Halskette aus bunten Holzkugeln herum wie meine Urgroßmutter an ihrem Rosenkranz. Ich frage mich, ob sie immer so nervös ist.

»Schatzilein?«, ruft sie in die Küche, »lebst du noch?«

Sie rollt die Augen, als wäre ich ihre Verbündete. Sicher erwartet sie, dass ich mitlache. Ich finde es nur peinlich, wie sie mit ihrem Mann umgeht. Als ob er ein kleiner Junge wäre.

»Ich schlage vor, du kommst morgen zu unserer Sitzung und erklärst denen mal, wie das so ist, im Gefängnis. Unser Kindergartenprojekt ist auf nächste Woche verschoben, also, am besten – wo wohnst du? – ich hole dich ab und . . .«

»Nein.«

»Nein?«

»Ich komme nirgendwohin mit.« Ich stehe auf, gerade als *Schatzilein* mit einem Krug Tee, in dem die Eiswürfel klirren, aus der Küche kommt. Er stellt den Tee auf dem Esstisch ab und geht zurück in die Küche, um Gläser zu holen.

»Jetzt, Franziska, hättest du die Chance, über deinen Fall zu sprechen und . . .«, versucht sie es wieder.

»Ich will mich erinnern, das ist das Einzige!«

Sie verstummt, nickt dann und sieht mich mit ihren großen Augen verständnisvoll und bemitleidend zugleich an. »Und?«

Ich seufze, ich kann meine Verzweiflung nicht verbergen. »Franziska, ich verstehe, dass es sehr, sehr schwer ist für dich, deine Tat zu akzeptieren. Aber«, sie schüttelt den Kopf, »glaub mir, es ist deine einzige Chance, einen neuen Anfang zu machen. Du quälst dich sonst dein ganzes Leben.« Sie sieht zur Küchentür, wo ihr Mann gerade im Türrahmen steht und uns gedankenverloren anstarrt. »Nicht wahr, Olaf?«

Er nickt.

»Allerdings«, redet sie weiter, »ich verstehe, dass du dich an jede Sekunde erinnern willst. Und solange du das nicht kannst, tja, so lange kannst du auch nicht glauben, dass du es warst – oder nicht warst.«

Ich nicke. Ja, ganz genau so ist es.

Olaf Ritter zuckt die Schultern und verschwindet wieder in der Küche. Irgendwie scheint er mir aus dem Weg gehen zu wollen. Gedankenverloren lässt Susanne Ritter die bunten Holzperlen ihrer Kette durch die Finger gleiten und schließt für einen Moment die Augen. Als sie sie wieder öffnet, sagt sie: »Es war eine furchtbare Nacht. Ich erinnere mich, als Olaf ganz aufgelöst anrief. Ich war erst von einer späten Sitzung nach Hause gekommen. ›Es gibt einen Toten auf der Party‹, hat er gesagt, ›und ich bin Zeuge!‹« Sie seufzt. »Es war ein Schock – nicht nur für meinen Mann, sondern für uns beide.« Ihr Blick wandert in die Ferne, dann tupft sie sich über die Augenwinkel.

Als ob es für sie schlimmer war als für mich!, denke ich und fange an, mich darüber zu ärgern, hierhergekommen zu sein. Aber ich bin selbst schuld, ja, Vivian hat mich gewarnt.

Olaf Ritter kommt mit hohen Gläsern und bunten Strohhalmen zu uns. Seine Frau sucht seinen Blick, doch Olaf ist mit dem Eingießen des Tees beschäftigt. Die Eiswürfel klirren laut, als sie in die Gläser fallen. Anschließend steckt er die Strohhalme in den Tee. Wie auf einem Kindergeburtstag, denke ich. Nur dass die Stimmung gerade alles andere als ausgelassen ist.

Susanne Ritter seufzt bedauernd. »Tja, schade, dass wir dir nicht helfen konnten. Und du willst wirklich nicht zur Sitzung kommen?«

Mein *Nein* kommt entschieden. »Aber eine Frage hätte ich noch.« Mein Hals zieht sich wieder zusammen und mein Magen fühlt sich an wie ein schwerer grauer Stein. Hastig nehme ich einen großen Schluck Eistee.

Olaf Ritter hat sich auf die Kante des Sessels gesetzt. »Ja?«

Ich stelle das Glas auf den Tisch zurück und hole Luft. »Warum sind Sie überhaupt ins Bootshaus gegangen?«

»Warum?«, fragt er erstaunt. Sein Mund zuckt kurz. »Aber das hab ich doch der Polizei gesagt: Ich habe Schreie gehört.«

»Von Maurice?«

»Ich weiß nicht, von wem.«

»Aber das Bootshaus ist doch ein ganzes Stück weg von der Wiese, auf der die Bühne . . .«

»Was willst du damit sagen, Franziska?«, schaltet sich Susanne Ritter ein. Beide sehen mich an, als hätte ich gerade etwas Unanständiges und Unhöfliches getan. Schweiß tritt mir auf die Stirn.

»Ich . . .«, schon fange ich an zu stammeln. *Mensch, Franziska, nimm dich zusammen!* »Na ja, ich wollte eigentlich nur wissen, was . . . äh . . . warum Sie in der Nähe waren. Vielleicht haben Sie ja noch jemanden gesehen?«

Sein Gesicht wird ganz starr, jetzt sieht es so aus, wie es mir nachts im Gefängnis erschienen ist.

»Ich meine, jemanden, der am Bootshaus stand?«

Er öffnet den Mund, doch da kommt ihm seine Frau zuvor. »Worauf willst du hinaus, Franziska?«

Bevor ich antworten kann, sagt Ritter: »Ich war in der Nähe, weil ich nach Hause gehen wollte.«

»Verstehe.« Und dann kann ich mich nicht zurückhalten, egal, welche Konsequenzen es auch haben mag. »Haben Sie dort in der Nähe vielleicht einen Mann oder . . . oder Nadia gesehen?«

Haben eben seine Augen geflackert?

»Nadia?«, fragt er erstaunt. »Welche Nadia? Und wen meinst du mit *Mann?*«

»Nadia Anders. Leonies Schwester.«

»Ja, ja, klar!«, sagt er rasch und setzt ein Lächeln auf. »Aber wieso soll ich sie dort gesehen haben? Sie ist doch letztes Jahr noch gar nicht in der Zehnten gewesen, wenn ich mich recht entsinne.«

»Sie war wohl trotzdem auf der Party.«

»Tja, wie so viele, was?«, spaßt er auf einmal.

»Sie haben sie also nicht da am Bootshaus gesehen?«

Er hebt erstaunt die Augenbrauen und schüttelt den Kopf. »Nein, natürlich nicht. Aber sie kann ja auch auf der anderen Seite des Schuppens gewesen sein, keine Ahnung . . . und welchen Mann meinst du, Franziska?«

»Den Bruder von Maurice – Claude, Claude Schneidbrenner.«

Er runzelt nachdenklich die Stirn, schüttelt wieder den Kopf. »Tut mir leid, den kenne ich nicht.«

Susanne Ritters Augen werden schmal, als sie mich ansieht. »Was willst du eigentlich wissen, Franziska? Was soll die ganze Fragerei?«

Ich schlucke. Was soll ich ihr sagen? Dass ich verzweifelt versuche, die einzige Wahrheit zu finden?

»Weißt du«, redet sie weiter und ihr Ton ist gar nicht mehr so mitfühlend wie am Anfang, »Olaf, mein Mann, war in den Wochen nach der Tat ziemlich durch den Wind und ich finde es nicht gut, das Ganze jetzt wieder aufzuwühlen.«

Es fehlt nur noch: *Und jetzt verschwinde, Franziska!*

Da fällt mir Katie aus meiner Zelle ein. Sie war immer cool, selbst wenn sie furchtbar gereizt war. Das hat mich total beeindruckt, weil sie so nicht zugelassen hat, dass andere die Kontrolle über sie übernehmen. Ich versuche also, meinen Ärger hinunterzuschlucken, und bringe sogar ein schwaches, vermittelndes Lächeln zustande. »Tja, wie Sie schon selbst gesagt haben, Frau Ritter, ich will mich an jedes Detail erinnern können.«

Susanne Ritter hat Pausbacken, stelle ich fest, wahrscheinlich weil sie die Luft anhält, vor Wut, Ärger – oder ich weiß nicht, was.

Olaf Ritters Gesicht wirkt auf einmal noch kalkiger. Und

sein Kinn erinnert mich an ein scharfes Hackmesser. Nein, sie passen wirklich nicht zusammen.

Susanne Ritter setzt plötzlich ein Lächeln auf. »Ja, schade, dass wir dir nicht weiterhelfen konnten, Franziska.«

Sie will mich hinauswerfen. Ich gehe von selbst.

»Ja«, sage ich und stehe auf. »Danke für Ihre Hilfe – und für den leckeren Eistee – in der Hitze genau das Richtige.« Das war cool, Franziska!

Ich ernte einen merkwürdigen Blick von Susanne Ritter, dann nickt sie mir kurz zu und verschwindet in der Küche.

Olaf Ritter begleitet mich zur Tür. Als er die Hand zur Klinke ausstreckt, hält er auf einmal inne. »Franziska«, sagt er mit gesenkter Stimme. »Das Beste, was du tun kannst, ist zu vergessen. Fahr heim und leb dein Leben. Versuch, das Beste daraus zu machen. Du kannst es irgendwann mal wiedergutmachen.«

Ich nicke. Wie sehr ich diese gut gemeinten Worte und Lebensweisheiten satthabe!

So schnell ich kann, lasse ich die Straßen mit den Vogelnamen hinter mir, es kommt mir vor, als schrien alle diese Vögel auf mich herunter und formierten sich, um sich auf mich zu stürzen. Rotkehlchen, Meisen, Finken, Drosseln, Amseln ... Krähen, Raben ...

Ich weiche einer ohrenbetäubenden Kehrmaschine aus, die den Bürgersteig sauber fegt. Hier liegt wirklich kein Papierchen, nichts. Sauber wie im Gefängnis ...

»Paula?«

Ich fahre herum.

Nur einer nennt mich Paula.

27

Benjamin!

»He, du bist noch da! Ich hab dich gesucht!« Er schnauft, ist gerannt.

»Jetzt hast du mich ja gefunden«, sage ich. Wieso hat er mich gesucht? »Und, was gibt's so Dringendes?« Ich will nicht wieder etwas von meinem Fall hören. Nicht von ihm. Für ihn will ich Paula sein. Unschuldig und ohne Vergangenheit. Ich warte, sehe ihn nur an und stelle mir ganz fest vor, dass ich Paula bin.

Er greift nach hinten, zieht eine gerollte Zeitung aus seiner Hosentasche.

Ich rolle die Zeitung auf. Sie ist von heute. Auf Seite eins prangt mein Foto. Ein recht aktuelles. Keine Ahnung, wo sie das herhaben. Darunter ein kurzer Artikel:

Erneute Ermittlungen im Partymord

Schülerinnen und Schüler des Augustinus-Gymnasiums gedenken Verbrechen vor einem Jahr

Kinding.

Heute beginnen für alle bayrischen Schülerinnen und Schüler die Sommerferien. Mittlerweile ist es in Kinding Tradition, dass die zehnte Klasse des Augustinus-Gymnasiums eine Sommerparty am See feiert. Doch dieses Jahr fällt ein dunkler Schatten auf das Event.

»Wir werden unsere Feier mit einer Schweigeminute für unseren verstorbenen Mitschüler Maurice beginnen«, sagt die Jahrgangssprecherin der zehnten Klasse, Katarina M.

Die Sommerparty nahm im letzten Jahr für Maurice S. ein

tödliches Ende. Eine zum damaligen Zeitpunkt 15-jährige Schülerin soll in der Nacht der Schulparty ihren gleichaltrigen Klassenkameraden im Bootshaus mit einem Ruder erschlagen haben. Olaf R., damals Referendar, überraschte Franziska K. mit der Tatwaffe. »Ich hab ihn umgebracht«, soll sie ihm sofort gestanden haben.

Die wegen Totschlags verhaftete Schülerin musste nach kurzer Zeit wegen mangelnder Beweise aus der Untersuchungshaft entlassen werden. Angeblich kann sich das Mädchen bis heute nicht an ihre Tat erinnern.

Neben einem Streit wegen eines Bauvorhabens des Vaters von Maurice S. spielen wahrscheinlich Eifersucht und Neid als Motive eine Rolle. Die Schülerin war außerdem zuvor schon wegen Alkoholmissbrauchs und Diebstahl aufgefallen. Wie Eltern von Klassenkameraden unserer Zeitung gegenüber erklärten, konnte die in bescheidenen Verhältnissen lebende Franziska K. es offensichtlich nur schwer ertragen, tagtäglich zu sehen, welch privilegiertes Leben ihre Schulkameradinnen führen.

Wie wir aus gut unterrichteten Kreisen wissen, nimmt die Polizei neue Ermittlungen im Fall Maurice auf, nachdem neue Beweismittel aufgetaucht sind. Den Hinterbliebenen bleibt es zu wünschen, dass doch noch Licht in den bisher ungeklärten Mordfall gebracht werden kann und der Täter seine gerechte Strafe verbüßt.

Franziska K. hält sich seit ein paar Tagen wieder in Kinding auf. Eltern und Schüler des Augustinus-Gymnasiums hoffen, dass die Party dieses Jahr ungetrübt verläuft und die des Totschlags Beschuldigte der Feier fernbleibt. »Der Täter kehrt eben immer an den Tatort zurück«, so eine ehemalige Klassenkameradin. Quod erat demonstrandum.

(pk)

Meine Lungen sind wie versteinert, ich kann nicht mehr atmen. Stehe nur da, unbeweglich, wie tot. *Quod erat demonstrandum!* So ein Schwachsinn, als wäre ich in dem Moment als Täterin überführt, wenn ich auf der Feier erscheine! Wer ist dieser *pk* überhaupt? Der kennt mich doch überhaupt nicht und trotzdem wagt dieser Provinzblattschreiberling es, so einen Mist zu verzapfen!

In mir brodelt es und vor allem der Gedanke an Winter facht meine Wut noch weiter an. Was hat er mir da vorhin erzählt, von wegen sie ermitteln nicht mehr! Hält er mich für blöd? Will er mir eine Falle stellen?

Ich starre noch immer auf die Zeitung und versuche, tief aus- und einzuatmen. Nach endlos scheinenden Minuten, in denen Benjamin verlegen seine Schuhe mustert, finde ich meine Stimme wieder. »Wusstest du es schon im Café?«, frage ich ihn.

»Nein!« Er schüttelt den Kopf. »Ehrlich, du hast auf den alten Fotos im Archiv so anders ausgesehen.«

»*pk,* bist du das? Hast du dieses Zeug geschrieben?«

»Aber nein!«, empört er sich.

»Was willst du dann von mir?«, blaffe ich ihn an. »Ein Exklusivinterview mit einer Mörderin?«

»So ein Quatsch!«

»Was dann? Warum spionierst du dann hinter mir her?«

»He, Franziska, langsam, okay?« Besänftigend hebt er die Hände.

Ich stöhne. »Okay.«

Er bringt tatsächlich ein Lächeln zustande. »Franz Niederreiter. Kennst du ihn?«

»Ja.« Wenn er wüsste, dass ich ihm vor ein paar Stunden erst höchstpersönlich begegnet bin . . . Aber was hat dieser Zeitungsartikel jetzt mit Niederreiter zu tun?

»Und?« Benjamin sieht mich fragend an.

»Was und?«, frage ich ungehalten.

»Na, warum erzählst du nichts über ihn?«

»Was soll ich schon über ihn erzählen? Alle hier kennen ihn«, sage ich gereizt. »Ein Typ, der knappe Hemden trägt, damit man auch ja seinen Wahnsinnsbizeps und seinen Waschbrettbauch sehen kann. Im Sommer fährt er sonntags immer mit seinem Cabrio durch Kinding, schön gebräunt und mit fettem Gel in den blonden Haaren. Im Winter ist er der Klischee-Skilehrer. Also ein echter Prolet, der nicht hierherpasst.« So wie ich, denke ich mir im Stillen. Welches Recht habe ich eigentlich, so über Niederreiter zu reden? Schließlich hab ich nicht weniger auf dem Kerbholz als er.

Benjamin nickt und grübelt einen Moment lang vor sich hin. »Ja, das scheint irgendwie ins Bild zu passen. Der Typ hat eine ganz schön krasse Vergangenheit.«

Ich werde immer ungeduldiger. Wieso kann er mich nicht einfach in Ruhe lassen mit seinen bescheuerten journalistischen Recherchen? Ist er jetzt hier der ermittelnde Staatsanwalt, oder was? »Und was hat das alles mit mir zu tun?«, frage ich genervt.

»Na ja, Niederreiter wohnt auf dem Hof gleich hinter der Seewiese. Also in unmittelbarer Nähe vom Bootshaus.«

Gelangweilt zucke ich die Schultern.

»Franziska! Er hat mit siebzehn seinen Freund nachts auf dem Nachhauseweg vom Feuerwehrfest erschlagen, weil der ihm die Freundin ausgespannt hatte. Er hat den Kopf seines Freundes so lange gegen einen Baumstamm gestoßen, bis er tot war!« Benjamin sieht mich entsetzt an.

Ich winke ab. »Mach dir keine Hoffnungen. Die Polizei hat ihn befragt. Er hat ein Alibi.«

»Ja, das ihm seine Freundin gegeben hat! Er hat sie unter Druck gesetzt.«

»Woher willst du das wissen?«, erwidere ich. »Und warum sollte sie jetzt plötzlich was anderes sagen als vor einem Jahr?«

»Weil Zeit vergangen ist, weil sie nicht mehr mit ihm zusammen ist. Weil sie nicht mehr für ihn lügen will. Ich hab sie heute getroffen, sie hat den Zeitungsartikel auch gelesen und . . .«

»Ach, und nur weil er einmal ein Verbrechen begangen hat, ist er gleich verdächtig, ja?«, unterbreche ich ihn wütend. »Und seine Freundin, die hat er damals zum Lügen gezwungen, oder?« Ich muss daran denken, wie sauer Niederreiter letzte Nacht auf seine Freundin war, weil sie ihn verlassen hat. Und auf einmal habe ich das Bedürfnis, Niederreiter in Schutz zu nehmen. Auf einmal erfüllt mich das Mitgefühl, auf das ich letzte Nacht vergeblich gewartet habe.

Benjamin ist rot geworden.

Ich sage: »Du bist nicht anders als all die anderen. Einmal Verbrecher, immer Verbrecher, das ist es doch, was du denkst! Nur weil ich wegen dieser bescheuerten Mutprobe eine Dummheit gemacht habe, bin ich jetzt abgestempelt!« Ich drehe mich um, ich bin wütend, so wütend! »Ich muss jetzt gehen.«

»Warte!«, ruft er hinter mir her. »Franziska!«

Doch ich gehe einfach weiter.

Er kommt hinter mir her, fasst mich am Arm.

»Was?«, frage ich unwirsch, versuche, seine Hand abzuschütteln.

Seine Augen suchen meine. »Franziska, ich war noch nicht fertig. Es gibt da noch eine ganz neue Möglichkeit.«

Stumm starre ich ihn an. Mein Atem geht stoßweise und Benjamin holt einmal tief Luft, ehe er weiterredet. »Also:

Franz Niederreiter kifft ab und zu. Das haben ein paar Leute erzählt, mit denen ich in den letzten Tagen ein bisschen geplaudert habe. Und er hatte ziemlichen Streit mit Schneidbrenner.«

Hab ich richtig gehört? Schneidbrenner? »Mit dem Vater von Maurice?«

Er schüttelt den Kopf und lässt meinen Arm los. »Mit Claude Schneidbrenner, dem Bruder von Maurice.«

Ich schlucke. Was zaubert Benjamin als Nächstes hervor? »Erst Claude, jetzt Niederreiter! Was soll das alles?«

Er macht eine beschwichtigende Handbewegung. »Also, Claude, der Bruder von Maurice, hatte zwei Tage vor der Party ein Zusammentreffen mit Niederreiter – kein besonders angenehmes, wie ich gehört habe. Sie hatten einen ziemlich heftigen Streit, haben sich sogar geprügelt.«

»Claude und Franz Niederreiter?«

Er nickt. »Ja, in der *XS-Bar*. Keine Ahnung, was für ein Publikum da sonst so rumhängt . . .«

»Das weiß ich auch nicht«, schalte ich mich ein, »die Bar gibt's noch nicht so lange. Erst seit . . .« Plötzlich halte ich inne. Ich muss an das Martini-Glas auf der Postkarte denken. Die Bar existierte letztes Jahr noch nicht und trotzdem hatte Maurice Leonie diese Postkarte geschrieben . . . Aber vielleicht ist es ja auch nur Zufall, dass die Bar das gleiche Motiv als Logo benutzt. Ein Cocktailglas mit Zitronenscheibe auf schwarzem Hintergrund . . .

»Na ja, ist ja auch egal, seit wann . . .«, sagt Benjamin, doch ich unterbreche ihn.

»Nein, das ist nicht egal! Das *XS* gab es letzten Sommer noch nicht! Es muss die *Kuba-Bar* gewesen sein! Das war bisher die einzige Bar hier in Kinding.« In meinem Kopf setzt sich langsam etwas in Bewegung, als hätte ein Dominostein den nächsten angestoßen. Doch noch kann ich den Gedanken nicht greifen, der sich da gerade in meinem Kopf formt.

»Stimmt! *Kuba*. Genau, das haben sie gesagt, die Typen in der *XS-Bar*. Sind wohl früher immer dort gewesen.« Er runzelt die Stirn. »Ist alles okay?«

»Ja! Erzähl weiter!«, dränge ich ihn und schiebe den Gedanken mit der Postkarte erst einmal beiseite.

Skeptisch betrachtet er mich, redet dann aber weiter: »Na ja, also auf alle Fälle hat Franz Niederreiter in dieser *Kuba-Bar* seine Freundin Nicole mit Claude Schneidbrenner erwischt.«

»Claude hatte was mit Niederreiters Freundin . . . die mit dem Nagelstudio?« Das erscheint mir ziemlich unwahrscheinlich. »Du hast doch gesagt, Claude hatte eine Affäre mit der Frau von diesem Bauamt-Typen!«

»Ja. Trotzdem hat Claude an diesem Abend mit Nicole getanzt. Und es muss ein ziemlich enger Tanz gewesen sein – haben sie mir wenigstens in der Bar so erzählt. Franz Niederreiter war angeblich in Rosenheim. Wegen irgendwelcher Traktoren. Es hat sich einfach so ergeben zwischen Claude und Nicole. Nette Musik, bisschen romantische Stimmung, beide allein . . . Jedenfalls war Niederreiter wohl schneller wieder zurück und wollte vorm Schlafengehen noch ein Bierchen kippen.«

»Und dann hat er Claude zusammengeschlagen, als er die beiden gesehen hat?«

Benjamin schüttelt den Kopf. »Nein. Claude hat Niederreiter fertiggemacht. Aber erst, nachdem dieser ganz schön grob zu Nicole geworden ist.«

Ich denke nach, verstehe aber immer noch nicht, was das

mit Maurice und mir und dem Bootshaus zu tun hat. »Aber . . .?«, fange ich an.

»Franz Niederreiter hat am Ende Rache geschworen. Hat so was zu Claude gesagt wie *Dich mach ich noch fertig, wart's nur ab!*«

Ich zucke die Schultern. »So was würde wahrscheinlich jeder in so einer Situation sagen.«

Benjamin holt Luft. »Jetzt kommt's. Ich war heute bei Nicole im Nagelstudio. Sie und Franz Niederreiter waren nach dem Streit zwar wieder zusammen, aber nun hat sie sich endgültig von ihm getrennt. Und weißt du, was sie mir gesagt hat?«

»Dass Niederreiter ein grober Kerl ist«, antworte ich. Was soll sie sonst wohl gesagt haben?

»Nein, das heißt, ja, das auch. Sie war echt ganz schön sauer auf den Typen. Aber was viel wichtiger ist: Sie hat mir erzählt, dass Niederreiter in der Nacht der Sommerparty nicht bei ihr war. Sie hat ihm das Alibi nur gegeben, weil er sie auf Knien darum angefleht hat.«

Einen winzigen Moment regt sich Hoffnung in mir, doch dann weiß ich, dass das Unsinn ist. »Ist doch klar, Niederreiter wollte einfach erst gar keinen Verdacht aufkommen lassen. Ihn hätten doch alle gern als Täter gesehen! Und außerdem: Wenn Niederreiter nicht bei Nicole war, muss er deswegen noch lange nicht auf der Sommerparty oder im Bootshaus gewesen sein. Und überhaupt: Niederreiter hatte Streit mit Claude und nicht mit Maurice. Und was ist überhaupt mit deiner Version, die du mir das letzte Mal anbieten wolltest – dass Claude auf Maurice gewartet hat?« Meine Stimme ist sarkastisch geworden, aber Benjamin scheint es nicht zu bemerken.

Aufgeregt fährt er sich durchs Haar. »Also, was, wenn Niederreiter mit Claude abrechnen wollte, er ihn aber mit Maurice verwechselt hat? Ich hab gehört, dass die Brüder sich ziemlich ähnlich gesehen haben sollen. Und so im Dunkeln . . .?«

Ja, sie sahen sich ähnlich. Sehr sogar. Aber sind das nicht alles nur theoretische Hirngespinste? Trotzdem merke ich, wie ich begierig die Fäden aufnehme, die Benjamin gerade gesponnen hat. »Niederreiter hat also vor dem Bootshaus gewartet«, fange ich an, »hat ein paar Joints geraucht und ist dann rein und hat Maurice erschlagen, weil er glaubte, es sei Claude?« Die Variante klingt verlockend, aber ebenso unwahrscheinlich.

»Warum nicht?«

»Und was hat er mit mir gemacht?«, will ich wissen.

»Na ja, er hatte was getrunken, gekifft, da hat er wahrscheinlich nicht mehr so genau getroffen und Kollateralschäden in Kauf genommen.«

»Ich war ein . . . ein Kollateralschaden?«

Er nickt und lächelt entschuldigend.

Eine Weile denke ich ernsthaft über das alles nach. Könnte es nicht tatsächlich so abgelaufen sein? Doch dann fällt mir die wichtigste Frage ein: »Wieso bist du eigentlich so sicher, dass ich es nicht gewesen bin?«

Benjamin hebt die Schultern, lässt sie wieder fallen. »Ist einfach so. Ich kann's mir nicht vorstellen.« Er versucht zu lächeln.

Ich bin gerührt, ja, aber das alles klingt doch eher nach einer Wunschvorstellung als nach der Realität.

»Und wenn ich es doch war? Wie siehst du mich dann?«, will ich wissen.

Er zögert, dann sagt er: »Wie jemand, dem ein Unfall das ganze Leben kaputt gemacht hat – und der für den Rest seines Lebens irgendwie damit klarkommen muss.«

Ja, die Tat gehört zu mir. Auch noch in zehn oder zwanzig Jahren. Bis zum Ende meines Lebens wird sie mich verfolgen. Ich hebe meinen Blick und sehe Benjamin direkt an. Nein, ich kann in seinem Gesicht kein aufgesetztes Mitleid erkennen, wie bei so vielen anderen, auch keine Sensationslust. »Ich hätte nicht herkommen dürfen«, murmle ich. »Jetzt ziehe ich dich da auch noch mit rein.« Ich meine, was ich sage. Selten ist mir jemand so vorurteilsfrei gegenübergetreten wie Benjamin . . .

»Nein, Franziska!«, er schüttelt den Kopf. »Es war richtig. Es beweist, dass du dir nicht sicher bist. Dass es anders gewesen sein kann . . .«

»Und wenn es aber doch nicht anders ist? Was dann?« Wieder gewinnen die Zweifel in mir die Oberhand. »Ich muss jetzt gehen«, sage ich schließlich.

»Wohin?«

»Hast du doch dadrin gelesen!« Ich rolle die Zeitung, die ich noch immer in der Hand halte, wieder zusammen und strecke sie ihm entgegen. »Diese Nacht jährt sich die Tat. Und den Täter zieht es immer wieder zurück zum Tatort.«

Ich gehe einfach an ihm vorbei.

»He, Franziska, jetzt warte doch mal!«

Er soll mich endlich in Ruhe lassen. Ich will nicht in sein Gesicht sehen müssen, wenn mir klar geworden ist, wie ich mit dem Ruder ausgeholt und Maurice erschlagen habe.

»Das ist doch nur, was die Presse schreibt!«

Abrupt drehe ich mich um. »Ach ja? Nein, das ist, was alle denken! Und jetzt lass mich endlich in Ruhe!«

»Nein!«

»Doch! Hau ab! Du bist doch sowieso nur hinter einer tollen Story her: *Freigelassene Mörderin kehrt an den Tatort zurück*. Eine Superstory und du kriegst eine feste Anstellung!« Ich balle die Fäuste; falls er näher kommt, werde ich mich wehren. Er weiß nicht, wie viel Überwindung es mich kostet, ihn wegzuschicken.

»Franziska, Kommissar Winter ist mit Renate Amberger verheiratet. Ihre Familie stammt aus Prien. Sie hat mehrere Grundstücke geerbt, die beiden sind im hiesigen *Rotary Club*. Winter mischt hier mit! Er hat Interessen hier! Kein Wunder, dass er die Ermittlungen so schlampig geführt hat! Franziska!«

Ich will das alles nicht mehr hören. Ich laufe los, weiter und immer weiter die Straße hinunter, renne schließlich, so schnell ich kann, und biege in die erste Querstraße ein. Erst da bleibe ich stehen. Drücke meine Stirn gegen den rauen Verputz einer Hauswand. Ich will heulen, schreien, meinen Kopf so lange gegen die Mauer schlagen, bis ich nicht mehr denken kann. Es ist alles zu viel!

Doch ich stehe nur da und spüre, wie meine Stirnhaut langsam taub wird.

28

Vergangenheit

Die Party fand in Leonies Haus statt. Ihr Dad hatte mal wieder einen Architekturpreis gewonnen. Kinding sollte eine Wellness-Oase bekommen, eine Pool-Landschaft mit Sauna, Kletterwand und Bar.

Leonie war ganz aufgeregt, als sie auf dem Schulhof davon erzählte. Und wie stolz sie war! »Am Samstag findet bei uns eine große Party statt. Na ja, eher was Steiferes. Aber hört zu: Mein Dad will, dass wir auftreten!«

»Bei euch zu Hause?«, fragte ich nach. Bisher hatte ich nur Mayas Mutter kennengelernt, weil sie uns alle mal mit dem Auto abgeholt hat, nach dem ersten Auftritt beim Basketballturnier in Prien.

»Ja! In unserem Garten! Ist doch super!«

Vivian verzog das Gesicht. »Da sind doch sicher diese ganzen *Rotary*-Typen da, oder?«

Leonie machte große, erstaunte Augen. »Was hast du denn gegen die? Deine Eltern sind da doch auch dabei. Und die von Maya auch.«

Vivian zuckte die Schultern. »Eben. Was sollen wir denn da?«

»Wir sollen unsere Freunde mitbringen! Vivian-Darling!«

Ich hatte keinen Freund. Ganz im Gegensatz zu Maya, die mit Zacharias ging, und Vivian, die die meiste Zeit mit Don rumhing, oder Leonie, die sich nicht zwischen Ike und Hendrik entscheiden konnte. Ich dachte an Maurice, aber ich hätte es nie gewagt, ihn anzusprechen.

»Und wer sind diese . . . *Rotary*-Typen?«, wagte ich zu fragen.

Die drei tauschten Blicke und mir wurde bewusst, dass ich wohl eine ziemlich dumme Frage gestellt hatte.

Leonie blies sich eine dunkle Haarsträhne aus der Stirn, Maya legte den Kopf schief und schließlich antwortete Vivian. Sie klang ziemlich gelangweilt. »Die meisten unserer Eltern sind bei denen dabei. Sie treffen sich, sammeln Geld, organisieren Wohltätigkeitsfeste, sie haben zum Beispiel die Rallye letzten Monat veranstaltet, zugunsten der Kinderkrebsforschung . . .« Sie zuckte die Schultern, während Maya und Leonie zustimmend nickten.

Ich dachte an meinen Vater, der sicher gern bei so etwas mithelfen würde. Außerdem würden meine Eltern dann neue Leute kennenlernen.

»He, da könnten meine Eltern doch auch . . .«, fing ich an.

Da lächelten sie komisch und Maya sagte: »Na ja, da kommt nicht jeder rein, man muss schon . . .«

Wir wurden von der Schulklingel unterbrochen. Aber auch ohne dass Maya zu Ende gesprochen hatte, war mir klar, was sie sagen wollte. Meine Eltern gehörten einfach nicht dazu.

»Meinst du nicht, du solltest dich ein bisschen netter anziehen?«, fragte meine Mutter, als ich aus meinem Zimmer in die Küche kam, wo sie gerade Salat putzte. Ich sah an mir herunter. Ich hatte meine engen schwarzen Jeans und eine ausgeschnittene Bluse angezogen. Ziemlich hip, fand ich.

»Nee«, antwortete ich knapp. »Wir treten auf einer Gartenparty auf, da komm ich doch nicht im Abendkleid!« Ich hasste es, wenn sich meine Eltern darüber äußerten, was ich anziehen sollte. Und dann auch noch ausgerechnet meine Mutter, die überhaupt keinen Geschmack hatte!

Ich nahm mein Rad und fuhr los. Es war ein warmer Juniabend. In den Gärten wurde gegrillt und an der Bushaltestelle standen noch Wanderer, die von ihrem Tagesausflug zurück nach Prien oder sonst wohin wollten.

Ich war gut gelaunt und auf den Abend und die Leute gespannt, obwohl ich auch ein bisschen Angst davor hatte.

Als ich in die Einfahrt radelte, sah ich schon die Vorboten: Nur dicke Autos. Mercedes, Jaguar, BMW, Lexus. Und plötzlich kam ich mir mit meinen Jeans und meinem Fahrrad ziemlich schäbig vor.

»Hi, Ziska!« Hinter mir stieg Maya aus dem schwarzen Mercedes ihrer Mutter und warf die Tür zu.

»Aber . . .« Weiter kam ich nicht.

»Was? Ach so?« Sie sah an sich herunter und zuckte die Schultern. »Gefällt es dir? Ich hatte einfach Lust dazu!«

Ihr schwarzes Kleid endete kurz über den Knien und hatte einen ziemlich tiefen Ausschnitt. Sicher das Neueste von D&G oder irgendeinem anderen tollen Designer. Sie stakste auf ihren hohen Absätzen über den Kies auf den Eingang zu. »He, was ist?«

»Wir wollten uns doch anziehen wie immer beim Konzert!«

»Ach komm, sieh das doch nicht so eng! Ziska, du siehst toll aus, echt!«

Ich glaubte ihr nicht. Aber sollte ich mich nur wegen dieses blöden Kleids jetzt verdrücken?

»He, da seid ihr ja! Los, kommt rein!« Leonie stand in der Tür. Sie trug ein grünes Kleid und ihr Haar war ziemlich aufgestylt.

»Wieso habt ihr mir nicht gesagt, dass ihr euch so anzieht?«

»Ach, Ziska! Ist doch kein Problem! Willst du was von mir haben?«, bot Leonie an.

Ich schüttelte den Kopf. Nein, ich wollte mir kein Kleid von Leonie leihen.

»Kommt, der Catering-Service hat im Garten schon alles aufgebaut!« Leonie führte uns durchs Wohnzimmer, wo Grüppchen von distinguierten Leuten herumstanden, die affektiert kicherten oder gekünstelte Ausrufe von sich gaben. Und über allem schwebte eine dicke, schwere Parfümwolke.

Was tue ich eigentlich hier?, schoss es mir durch den Kopf. In dem Moment stand eine Frau vor uns und Leonie stellte mich als Ziska vor. Sie sah aus wie Leonie, nur war sie größer und viel dünner. Um ihren Mund zuckte es dauernd, als wäre sie nervös oder hätte eine Krankheit.

»Ach, du bist das Mädchen von der Tankstelle?« Sie lächelte süßlich, während sie mich von oben bis unten musterte. Ich spürte, dass sie mich verachtete, mich, meine Klamotten – und meine Eltern. Da sagte sie auch schon zu Leonie: »Wollt ihr nicht noch kurz oben in deinem Kleiderschrank stöbern? Du hast doch sicher was Passendes für deine Freundin.«

»Ich fühl mich wohl, danke!«, brachte ich tatsächlich heraus und staunte über mich selbst.

Zum Glück kam wenigstens Vivian noch in normalen Klamotten, obwohl sie natürlich ihre fette Rolex und ihre endlos teure Lederjacke trug.

Ich spürte die Blicke der Leute, als ich mich durch den Raum bewegte, um nach draußen in den Garten zu gehen. Ich spürte, dass auch Leonie, Maya und Vivian insgeheim auf mich herabblickten. Es war so erniedrigend.

Als wir dann auftraten, merkte ich, wie meine Stimme von diesem Ort wegwollte. Und ich fragte mich, warum ich nicht gleich nach Hause gegangen war.

Nach vier Songs, die mir endlos lange vorkamen, stiegen wir von der Bühne und Maya, Leonie und Vivian wurden gleich von den Freunden ihrer Eltern umringt. Mich streiften sie nur mit falschen Blicken. Ich fühlte mich so verdammt unwohl – dagegen war der Schulhof das reinste Zuckerschlecken. Ich nippte ein paarmal an dem Sektglas, dessen Inhalt wahrscheinlich so viel wert war wie unser gesamtes Küchenmobiliar, dann verschwand ich auf die Toilette.

Als ich kurz darauf zurückkam und mich von den dreien verabschiedete, waren sie überrascht, aber niemand versuchte, mich zu überreden, noch länger zu bleiben.

An der Haustür lief Nadia mir über den Weg. Sie war genauso aufgestylt wie ihre Schwester, wie alle hier. Sie grinste schief und sagte dann leise zu mir: »Na, gefällt's dir etwa nicht unter all diesen reizenden Menschen?«

Ich erwiderte nichts.

»Und sie alle helfen einander, wo sie nur können! Dad hat gerade einen neuen Bauauftrag gekriegt, meine Mum hat mit Kommissar Winter geflirtet und darf ihren Führerschein behalten, obwohl sie mal wieder ganz gut angesäuselt gefahren ist, und Leonie bleibt nicht sitzen, hat der Schuldirektor gerade meinen Eltern versprochen.« Sie setzte ein strahlendes Lächeln auf. »Schade, dass du nicht dazugehörst, Ziska. Das Leben kann so schön und einfach sein!«

29

Und wenn Benjamin recht hat, dass Winter die Ermittlungen schlampig geführt hat, weil ... weil jemand anders geschützt werden sollte? Claude?

Ich streife durch die Straßen, versuche, klar zu denken und mir zu überlegen, was ich als Nächstes tun soll. Es ist inzwischen längst später Nachmittag und heiß und schwül, meine Kleider kleben auf meiner Haut, der Gurt meiner Reisetasche schneidet in meinen Nacken und ich habe Durst und fühle mich gerädert.

Mit jeder Minute, die ich durch Kinding laufe, wird das Gefühl stärker, dass ich es nicht gewesen bin. Niederreiter, Claude ... all die Namen und Möglichkeiten schwirren mir unaufhörlich durch den Kopf wie ein aufgescheuchter Vogelschwarm. Ich merke gar nicht, wo meine Beine mich hintragen, doch plötzlich stehe ich vor der *XS-Bar*, die noch geschlossen hat. Unschlüssig bleibe ich vorm Eingang stehen. Und wie von selbst setzen sich meine Gedanken von vorhin wieder in Gang.

Die Bar hat erst vor einem Monat aufgemacht. Die Karte, die Leonie in ihrer Schatulle hatte, sah genauso aus wie das Neonschild, das gerade schräg über meinem Kopf baumelt. Und *XS-Bar* stand auch auf der Karte, das weiß ich genau. War es eine Karte, die man nur dort bekam, also so eine kostenlose Werbekarte? Oder war es Zufall, dass es dasselbe Motiv war? Oder war die *XS-Bar* vielleicht eine Kette und die Bar gab es auch in München ...

Plötzlich tut sich was hinter den Scheiben. Eine junge Frau stellt die Stühle, die vom Putzen noch auf den Tischen sind, zurück auf den Boden. Schließlich öffnet sie die Fenster, um frische Luft in die Räume zu lassen.

Entschlossen spreche ich sie an. »Entschuldigen Sie bitte!«

Überrascht hält die junge Frau inne, dann lächelt sie mich freundlich an. »Ja?«

»Die *XS-Bar* . . . also, ist das eine Kette oder gibt es die nur hier in Kinding?« Ich merke, wie mein Herz schneller schlägt.

Die Frau guckt ein wenig verwirrt, dann fängt sie an zu lachen. »Eine Kette? Nein! Hier war früher ein Getränkehandel. Berger. Der ist in München in die Kneipenszene eingestiegen. Wollte was Großes aufziehen«, sie verdreht die Augen, »na ja . . . wie auch immer. Ich hab schon immer davon geträumt, 'nen eigenen Laden zu schmeißen. Na, wie findest du's?« Sie macht eine Handbewegung, die den gesamten Innenraum einschließt – eine lange Theke, viele Barhocker, ein paar wenige Ledersessel, die um kleine Glastischchen herumstehen, und in der Mitte des Raumes eine Palme in einem riesigen Kübel. »Ist noch ein bisschen improvisiert, aber war allein meine Idee. Na ja, der Laden läuft zwar erst seit einem Monat, aber bisher kann ich mich nicht beschweren.«

Ich nicke ihr lächelnd zu, auch wenn ich das Gefühl habe, dass mein Gesicht zu einer Maske erstarrt ist. Ich wünsche der Barbesitzerin murmelnd einen schönen Abend und will weiter, da ruft sie: »Warte! Damit du bisschen Werbung machen kannst!« Sie drückt mir einen Stapel Postkarten in die Hand.

Ich starre erst die Postkarten, dann die Frau an.

»Gefällt sie dir? Ich hab zehntausend drucken lassen, schließlich sollen auch ein paar Leute aus München hierherkommen. Aber bisher hab ich noch keine Zeit gehabt, viele zu verteilen.«

»Sie ist schön, ja«, höre ich mich mit einer fremden Stimme sagen. Stocksteif halte ich ihr den Stapel entgegen. »Aber tut mir leid, ich bin nicht von hier.«

»Okay, hier, nimm wenigstens eine für dich mit.« Mechanisch greife ich nach der Karte, die sie mir zusteckt.

»Wiedersehen«, murmle ich, drehe mich um und stolpere benommen davon.

In meinem Kopf vermischen sich alle Gedanken zu einem unverständlichen Geschrei, aus dem plötzlich eine einzige Frage ganz deutlich hörbar wird.

Wie konnte Maurice diese Karte schon vor einem Jahr Leonie schicken – wenn es die Karten doch höchstens erst seit ein, zwei Monaten gab . . .?

Ich musste die Postkarte noch mal sehen. Unbedingt. Aber Leonie hat sie vor meinen Augen zerrissen. Vielleicht lagen die Schnipsel ja noch im Papierkorb . . . Bei ihrer Unordnung war es gut möglich, dass sie sogar noch auf dem Teppich lagen.

Ich muss zu Leonie, denke ich. Tolle Idee. Ich würde also klingeln und sagen: *»He, Leonie, ich weiß, dass du mich für verrückt hältst, aber lässt du mich noch mal die Karte von Maurice sehen?«*

Während ich durch die Ratsgasse gehe, an deren Ende tatsächlich das Rathaus ist, führe ich ein fiktives Gespräch mit Leonie:

»Leonie, ich würde gern noch mal die Karte sehen, die dir Maurice geschickt hat.«

Pause, dann: *»Warum?«*

»Ich . . . äh . . . ich würde sie einfach gern noch einmal le-

sen, damit ich endlich einen Schlussstrich unter alles ziehen kann.«

Wieder Pause. »Du bist krank, Franziska, krank! Lass uns hier einfach in Ruhe! Wenn du dir dein Leben zur Hölle machen willst, bitte, aber halt uns da raus, ja!«

Tja, genauso würde es laufen. Ich erspare es mir. Es muss eine andere Möglichkeit geben. Und die gibt es, fällt mir plötzlich ein. Leonie sagte, dass Nadia vor dem Bootshaus gewesen wäre und alles gesehen und gehört hätte. Und angeblich hat sie ja mich ja auch gesehen. Aber stimmt das? Was, wenn sie zum Beispiel Claude gesehen hat . . . oder Franz Niederreiter?

Ich muss mit Nadia sprechen. Aber ohne dass Leonie etwas davon erfährt. Ich kann sie also auch nicht nach Nadias Handynummer fragen. Wenn ich nicht bis heute Nacht warten will, bleibt mir nichts anderes übrig als zu hoffen, dass Nadia zu Hause ist. Möglicherweise könnte ich ja auch so an die Postkarte kommen.

30

Glücklicherweise ist Kinding nicht besonders groß und das Haus von Leonies Eltern am Ortsrand ist zu Fuß in zehn Minuten zu erreichen. Vivian wohnt nur zwei Straßen weiter am Waldrand. Nur der große Bauernhof, in dem Maya lebt, ist etwas weiter weg.

Während ich durch den Ort gehe, spüre ich die Blicke der Leute auf mir. Klar, jeder hat die Zeitung gelesen, jeder mein Foto gesehen. Die Blicke sagen: Das ist die Mörderin und sie wagt es, am helllichten Tag hier einfach in unserem Ort herumzuspazieren!

Auch ein paar aus meiner ehemaligen Klasse bin ich schon begegnet, sie haben mich angestarrt und nichts gesagt oder sie haben gleich weggeguckt. Angegriffen hat mich bisher noch niemand.

Ich versuche, das alles zu ignorieren. Es gibt Wichtigeres zu tun. Ich frage mich, was Leonie mit dieser Karte bezwecken wollte. Was weiß sie, was ich nicht weiß? Warum soll ich glauben, dass ich ein Motiv hatte? Oder bin ich tatsächlich krank und spinne mir hier gerade was zusammen?

Hinter den Häusern mit den Geranienbalkons sehe ich die alte Kastanie und daneben das obere Stockwerk von Leonies Haus aufragen. Es ist das modernste Gebäude hier im Ort, ein Wunder, dass es überhaupt genehmigt wurde, wo hier doch alle Häuser eher im Bauernhausstil gebaut sind.

Das Tor zur Einfahrt ist verschlossen, zögernd bleibe ich stehen. Doch meine Unentschlossenheit dauert nur einen

Moment, dann sehe ich mich kurz um und schwinge mich darüber. Es ist niedrig und schlicht, ohne Zacken oder Spitzen, die einen zu durchbohren drohen.

Der Kies knirscht unter meinen Schuhen. Ein Geräusch, das mich immer an große Häuser und Reichtum erinnert. In den würfelartigen Gebäuden mit den breiten Glasfronten kann ich niemanden erkennen. Der Bambus und andere filigrane Büsche rauschen leise im sanften Wind, der gerade aufgekommen ist. Auf dem Teich kräuselt sich das Wasser. Ob die beiden schon zur Party unterwegs sind? Es ist zwar erst früher Abend, aber vielleicht helfen sie ja beim Aufbauen . . .

Ich klingle, höre den vollen, wohlklingenden Glockenton im Haus, warte. Plötzlich fällt mir ein, dass ja auch Leonie aufmachen könnte. Wieso hab ich daran nicht gedacht? Was soll ich ihr dann sagen?

Als sich nichts tut, drücke ich noch mal auf die breite weiße Taste, zähle langsam bis zwanzig. Wieder nichts. Und jetzt?

Vivian. Sie war immer die Vernünftigste. Ich muss wissen, ob Leonie ihr auch die Postkarte gezeigt hat. Und unter vier Augen erzählt sie mir bestimmt auch, was mit Nadia am Bootshaus los war. Ich schultere also wieder meine Tasche und laufe den Kiesweg zurück, klettere übers Tor und schlage den Weg zu Vivians Haus ein. Es liegt zwei Straßen weiter, am Ende einer Sackgasse. Dahinter beginnt ein Waldstück.

Mir läuft der Schweiß über die Stirn, tropft mir in die Augen und brennt. Meine Kleider kleben an meiner Haut fest. Das Blau des Himmels hat sich verdüstert. Hoffentlich regnet es nicht noch.

Jetzt stehe ich vor dem Anwesen der Fabers. Zwei große Eichen und zwei Betonlöwen bewachen den Eingang des dreistöckigen Hauses mit den Säulen vor dem Eingang. Sieht aus wie das Haus von reichen Südstaatlern in amerikanischen Filmen. Freiwillig mag man da nicht reingehen. Das wuchtige Eisengittertor wirkt auch nicht gerade einladend. Ebenso wenig die Überwachungskamera, die sich auf mich richtet, nachdem ich die Klingel gedrückt habe.

»Ja bitte?« Die Stimme hat einen Akzent. Irgendwas Slawisches.

»Ist Vivian da?«

»Wer sind Sie?«

»Eine Freundin. Franziska.«

»Moment.«

Es dauert und dauert und dauert, bis endlich das Tor zurückfährt und ich über einen schnurgeraden Waschbetonweg zum Haus gehe. Obwohl es erst dämmert, ist schon die Beleuchtung angesprungen und erhellt die ganze Hausfassade. Keine Fliege würde ungesehen zur Tür kommen. Erst recht kein Einbrecher.

Vivian steht in der Tür, im Strahl der Eingangslampe sieht ihr struppiges rotes Haar aus wie Feuer. Die Arme hält sie vor der Brust verschränkt. Ihre dünnen Beine fallen in den Shorts noch mehr auf. Ihre blaue Kapuzenjacke endet knapp über dem Nabel, aus dem ihr Piercing herausblitzt.

»War nicht gerade toll von dir, wieder zurückzukommen, ohne uns was zu sagen«, fängt sie an, ohne mich zu begrüßen.

»Ich weiß, ja, aber ich konnte nicht anders.«

Sie sagt weder Ja noch nickt sie oder zeigt, dass sie das versteht.

»Und, was gibt's so Dringendes? Ich wollte gerade los zur Sommerparty.«

Hinter ihr sehe ich die Eingangshalle, die mich unwillkürlich an einen Kühlschrank denken lässt. Nein, hier wollte ich nicht wohnen. Makellos weißer Marmorboden, auf dem jeder Schritt bestimmt klingt, als liefe man über Eis. Weiße Wände mit großformatigen Gemälden. Alle in Weiß und Beige gehalten. Ich erinnere mich, dass Vivians Eltern auch nur weiße, graue und beige Klamotten trugen, und beide haben weißes Haar. Kein Wunder, dass Vivian sich schrill anzieht . . .

Ich räuspere mich, versuche, Zeit zu schinden, was Unsinn ist, denn es ändert nichts an der Situation. Egal was ich sage, egal wie ich es anstelle – ich frage hinter Leonies Rücken . . .

»Weißt du was von der Karte, die Maurice Leonie geschickt haben soll?«, fange ich an, während meine Hand die Karte in meiner Hosentasche berührt.

»Diese Verabredungskarte?«

Ich nicke.

»Wieso geschickt *haben soll?*« Vivian sieht mich argwöhnisch an.

»Na ja, es ist eine Karte von der *XS-Bar.* Du weißt schon, das Cocktailglas mit der Zitronenscheibe – alles im Neonlook auf schwarzem Hintergrund«, erkläre ich in harmlosem Ton.

»Und?« Sie sieht mich mit zusammengezogenen Augenbrauen an.

»Die *XS-Bar* gibt's erst seit einem Monat.«

»Was willst du damit sagen?« Sie legt den Kopf schief, runzelt die Stirn. Tut sie nur so begriffsstutzig oder hat sie es wirklich noch nicht begriffen?

»Vivian, die *XS-Bar* gab es vor einem Jahr noch nicht. Woher sollte Maurice also die Karte gehabt haben?«

Ihr Blick bleibt auf mich gerichtet. Will sie mein Gehirn röntgen? »Ja, woher? Warum fragst du Leonie nicht, wenn es dir so wichtig ist?«

»Ich glaube, sie ist nicht gerade gut auf mich zu sprechen.«

»Aha, und da hast du gedacht, dass du mich einspannen kannst?«

»Nur wegen dieser Sache – und wegen Nadia.«

»Nadia?« Vivians Augen werden noch schmaler. Ihr rotes Haar und das helle Außenlicht lassen ihre Haut ganz blass erscheinen. So habe ich sie zum ersten Mal gesehen. Im Schulflur, bei Neonlicht.

»Ja«, sage ich. »Stimmt es wirklich, dass Nadia am Bootshaus war und alles mitgekriegt hat?«

Sie legt den Kopf schief und mustert mich. »Hm. Weißt du, was ich mich frage, Franziska?«

»Was?«

»Ich frage mich, ob dir Freundschaft eigentlich gar nichts bedeutet.«

»Aber natürlich! Sie bedeutet mir sehr viel!« Was redet Vivian da?

»Ach, und du unterstellst deiner besten Freundin, die dir Briefe ins Gefängnis geschrieben und dich hier aufgenommen hat, dich zu betrügen oder zu belügen? Hab ich das richtig verstanden?« Vivian stemmt die Arme in die Taille und ihre blaue Kapuzenjacke schwingt auf. In dem Moment blitzt etwas darunter auf.

Mein Gott … gebannt starre ich auf das silberne Emblem. Kein Pferd! Ein Einhorn! Ich kenne das dunkelrote Top. Es ist nicht neu. Und ich kenne das silbrige Motiv auf der Vorderseite. Sie hat es bei unserem Konzert auf der Sommerparty getragen … vor einem Jahr.

Das weiße Ruder fliegt durch die Dunkelheit auf mich zu. Ich ducke mich, das Ruderblatt streift mich nur, schleudert mich aber rückwärts auf den Boden vor das Ruderboot.

»Maurice!«, höre ich mich noch schreien. Als ich wieder auf-
wache, habe ich das Ruder fest umklammert und Maurice
liegt vor mir.

»Ist was?«, fragt sie.

»Das T-Shirt«, sage ich und versuche, nicht zu stammeln,
»he, das ist einfach cool.«

Sie sieht an sich herunter. »Das?« Langsam hebt sie ihren
Blick, fixiert meine Augen. »Wieso sagst du das jetzt?«, fragt
sie und in ihrem Ton ist etwas Lauerndes.

»Wollte ich dir schon immer sagen«, bringe ich hervor und
ringe mir ein harmloses Lächeln ab, während ich versuche,
mein Zittern zu unterdrücken. Es war das Einhorn. Ganz bestimmt. Der Blitz im Bootshaus war das Einhorn auf Vivians
T-Shirt, das im Mondlicht reflektiert hat . . .

Ich muss hier weg . . . aber wie?

Vivians Gesicht ist meinem ganz nah. »Bist du gerade ab-
getreten, oder was?«

»Nein, nein, alles okay«, sage ich rasch. Ich kann es nicht
fassen, vor mir beginnt sich alles zu drehen, ich schnappe
nach Luft und die Worte formen sich schon in meiner Kehle:
Warum hast du das getan, Vivian?

Doch etwas in mir warnt mich, das zu tun. Vivian hat mich
ins Gefängnis gehen lassen. Sie wird auch jetzt nicht davor
zurückschrecken zu verhindern, dass sie zur Rechenschaft
gezogen wird. Warum auch immer sie es getan hat.

»Äh, ich glaube, du hast recht. Ich weiß Freundschaft
wahrscheinlich wirklich nicht richtig zu würdigen«, bringe
ich hervor. Mein Magen rebelliert, mein ganzes Blut ist
scheinbar in die Ohren geflossen, so fühlen sie sich an – glü-
hend heiß, während alle anderen Körperteile kalt wie Eis
sind. *Los, rede weiter!*, befehle ich mir. *Sie darf nichts mer-*

ken! »Ich bin einfach so verzweifelt«, stammle ich, »und als ich dann von der Bar hörte – nein, vergiss es, Vivian. Und bitte, sag Leonie nichts davon. Es tut mir leid, wirklich, wie konnte ich nur . . . ich bin total durcheinander. Ich hör auf, wirklich, dieses ganze Sich-Erinnern bringt mich nur in Schwierigkeiten. Du hast recht, Vivian. Freundschaft ist etwas Kostbares und ich glaube, ja, ich glaube, ich hab das einfach nicht kapiert. Tut mir leid. Wirklich.« Ich presse ein Lächeln hervor und gehe schon einen Schritt rückwärts.

Vivian sieht mich stumm an. Ich merke, wie es in ihr arbeitet. Wenn ich diese Tour noch ein bisschen weiter durchziehe, denkt sie vielleicht wirklich, dass ich einfach durchgeknallt bin, und ich kann mich unauffällig von ihr loseisen.

Leonies Haus ist nur zwei Straßen weiter. Ich wäre in kaum fünf Minuten da. Und dann? Kommissar Winter rufe ich bestimmt nicht an. Benjamin könnte mir helfen . . .! Aber ich hab seine Karte weggeworfen. Da fällt mir das offene Kellerfenster ein.

Ich schüttle den Kopf. »Vivian, ich fahre heim. Ich hätte gar nicht erst kommen sollen. Es tut mir alles so schrecklich leid.« Ich zucke die Schultern und will gehen.

Hat sie es geschluckt? Glaubt sie mir, dass ich so durcheinander bin?

»Ist wahrscheinlich das Beste, ja«, sagt sie, »weißt du . . .« Ihre Augen haben einen wässrigen Glanz bekommen, das rote Haar lodert im Licht wie ein Feuerkranz. »Leonie hat immer zu dir gehalten. Du bist ihre beste Freundin.«

Mein Gott, kann jemand so perfekt lügen? Der Boden unter meinen Füßen fühlt sich an wie eine wabblige Matratze. »Danke, Vivian. Wirklich, es tut mir leid.« Ich muss mich nicht verstellen, um irritiert zu wirken.

Nach ein paar Schritten drehe ich mich noch mal um. Da steht sie und sieht mir nach, hebt die rechte Hand, ich versuche, den Gruß zu erwidern, aber mein Arm weigert sich.

Als sich das Tor endlich hinter mir schließt, muss ich mich zwingen, nicht loszurennen. Erst an der Kastanie vor Leonies Haus bleibe ich stehen und atme tief ein und aus.

31

Und wenn ich mich täusche?

Immer und immer wieder rufe ich mir die Bilder ins Gedächtnis zurück, die mich fast jede Nacht heimsuchen. Der silberne Blitz war ein Einhorn. Ganz sicher! Vivian war in der Nacht im Bootshaus gewesen. Aber was hat Leonie damit zu tun?

Ich habe den Kiesweg erreicht, der in einem sanften Bogen vor das Haus führt. Der Bewegungsmelder hat jetzt die Laternen eingeschaltet, sie erhellen den Weg und den Eingang, lassen den weißen Kies gleißen. Die Fenster sind immer noch dunkel.

Im Schatten eines hohen Buschs bleibe ich stehen und lausche. Aus der Ferne dringt Musik von der Partywiese heran. Ein paar Vögel zwitschern noch und irgendwo fährt ein Auto weg. Ich gehe weiter, ich versuche, meine Schritte nicht auf dem Kies knirschen zu lassen, was aber nicht funktioniert.

Wo ist das Kellerfenster?

Ich laufe am Teich vorbei, ducke mich unter Büschen hindurch, schleiche ums Haus. Das erste Kellerfenster ist vergittert. Mist! Ich gehe weiter. Meine Hose bleibt an einem stachligen Zweig hängen, meine Haare verheddern sich in Ästen, mein Fuß versinkt in einem besonders weichen Blumenbeet – super! Ich hinterlasse auch noch Spuren wie ein Elefant!

Endlich! Zwischen zwei Oleandern entdecke ich ein angelehntes Fenster, beinahe wäre ich daran vorbeigelaufen.

Ich stoße es auf, werfe erst meine Tasche hinunter, dann bücke ich mich und klettere hindurch, mit den Füßen zuerst. Die Enge versetzt mich in Panik. *Ganz ruhig, Ziska, du kannst nicht stecken bleiben, so eng ist es nun auch wieder nicht,* versuche ich mich zu beruhigen. Aber es ist wie in einem meiner anderen Albträume, in dem es nur eine schmale Luke aus meiner Gefängniszelle gibt, durch die kaum mein Kopf hindurchpasst. Und dennoch versuche ich durchzukriechen. Aber ich bleibe stecken und kann mich weder vor- noch zurückbewegen. Meistens wache ich schweißgebadet auf.

Das hier aber ist kein Traum und ich bleibe auch nicht stecken. Meine Füße landen sicher auf festem Betonboden. Die Waschküche, stelle ich auch ohne Licht fest. Mit Trockner und Waschmaschine. Es riecht nach Waschmittel und ein bisschen nach Moder. Ich stelle meine Tasche auf der Waschmaschine ab, ohne sie kann ich mich einfacher durchs Haus bewegen. Ich gehe zur Tür, mache sie leise auf und sehe in den Kellergang. Kein Geräusch. Nichts. Leonie ist sicher längst auf der Party. Nadia wahrscheinlich auch.

Es ist ein seltsames Gefühl, durch ein fremdes Haus zu schleichen, in dem andere Menschen leben, in dem es nach ihnen riecht, wo alles von ihnen eingerichtet und gestaltet wurde. Ich bin ein Eindringling – und alles, Möbel und Wände, Bücher und Bilder, scheinen mich feindselig zu beobachten.

An Nadias Tür bleibe ich kurz stehen. Sie steht halb offen, der Raum dahinter ist dunkel. Ich denke an die Poster ohne Gesichter und ein Schauder läuft über meinen Rücken. Aber Nadia ist definitiv weg. Beruhigt gehe ich weiter zu Leonies Zimmer, dessen Tür ganz offen steht. Auch da ist alles dunkel.

Es riecht nach Leonies Parfüm. Das fahle Laternenlicht, das durch die Fensterscheiben fällt, erhellt schwach den Raum. Unordnung überall. Klamotten und Schuhe liegen verstreut auf dem Teppich und auf ihrem ungemachten Bett. Die Schranktüren stehen auf. Bestimmt hat sie sich für heute Abend x-mal umgezogen. Aber die Schnipsel liegen nicht mehr auf dem Boden. Ich knie mich auf den weichen Teppich, sehe unter dem Bett nach, nichts. Ich stülpe den Papierkorb neben ihrem Schreibtisch um, zusammengeknüllte Papierseiten kullern vor meine Füße, ich falte eins auseinander.

Auf der Seite steht nur ein Satz:

Du kommst nicht einfach so davon! Bleib, wo du bist, oder du wirst es bitter bereuen!

Ich greife nach einem anderen Papierknödel, falte ihn mit zitternden Fingern auf.

Lass dich nie wieder hier blicken, Mörderin!

Leonie . . . *sie* hat die Briefe geschrieben. *Sie* hat sie eingeworfen, in München, in Prien, wollte mich einschüchtern, wollte, dass ich gar nicht erst komme, und dann, dass ich wieder nach Hause fahre.

Ich wühle mich weiter durch den Papierberg, doch ich kann die Postkartenschnipsel nicht finden.

Rasch stecke ich die beiden Briefentwürfe in meine Hosentasche.

Hat sie die Papierschnipsel ins Klo geworfen? Oder . . .

Hinter ihren Harry-Potter-Bänden hat Leonie die Schatulle versteckt, erinnere ich mich. Ich ziehe die Bücher heraus. Dahinter ertasten meine Hände die muschelbesetzte kleine Truhe.

Den Schlüssel trägt Leonie um den Hals. Egal, ich kann das Kästchen auch aufbrechen. Ich sehe mich nach einem geeigneten Gegenstand um. Ein Brieföffner vielleicht? Mein Blick schweift über Leonies Schreibtisch, als mich plötzlich ein Geräusch innehalten lässt.

Ein Knirschen. Wie von Schritten auf Kies. Vorsichtig versuche ich, aus der Entfernung aus dem Fenster auf den Weg hinunterzusehen.

Vivian und Leonie!

Erschrocken ducke ich mich. Hoffentlich haben sie mich nicht gesehen! Ich muss hier raus! Ich schnappe mir die Schatulle und renne aus dem Zimmer. Die Bücher! Egal, keine Zeit mehr! Sie würden sowieso gleich nach der Schatulle suchen.

Ich stolpere die Stufen hinunter, kann mich gerade noch unter der Treppe verstecken, als sich auch schon der Schlüssel im Türschloss dreht. Immerhin! Von der oberen Etage aus wäre ich nicht mehr nach unten gekommen, wenn sie erst mal hier drin gewesen wären.

Das Kästchen fest an mich gepresst, halte ich die Luft an, mache mich so klein wie möglich und linse durch den unteren Spalt zwischen den Stufen zur Tür.

Leonie stößt die Tür auf, sofort geht das Licht an, ich wage nicht mehr zu atmen. »Sie hat doch keinen Schlüssel!«, sagt Leonie.

Wenn sie mich jetzt hier entdecken . . . sie sind zu zweit . . .

Vivian kommt hinter Leonie herein. »Los, sehen wir trotzdem nach!«, sagt sie und stürmt hinter Leonie auf die Treppe zu, sie trampeln direkt über mir hinauf, ich warte, bis sie den Teppichboden erreicht haben, der ihre Schritte verschluckt.

Jetzt!

Ich will mich gerade erheben, als ich höre: »Mensch, sie muss durchs Kellerfenster reingekommen sein!«

Ich muss hier weg, sofort. Doch zu spät. Schritte über mir. Sie kommen die Treppe wieder runter.

»Los, beeil ich! Man kommt ganz schlecht von innen nach draußen! Vielleicht ist sie noch unten!«

Und wenn sie auf die Idee kommen, dass ich noch hier drin bin? Im Wohnzimmer? Unter der Treppe . . .?

Direkt über mir bleiben sie stehen. Ich höre auf zu atmen. Wage nicht, mich zu bewegen oder aufzusehen, ob sie mich vielleicht nicht längst entdeckt haben.

»Halt!« Leonies Stimme. »Bleib du hier an der Eingangstür. Ich sehe unten im Keller nach. Vielleicht ist sie noch hier.«

»Okay!« Leonie geht die letzten Stufen hinunter, verschwindet dann weiter rechts, hinter der Tür zum Keller.

Und wie, verflucht, soll ich jetzt hier rauskommen? Ich spüre Vivian über mir. Gott, hoffentlich kann ich solange noch die Luft anhalten . . .

»Vivian!«, dringt Leonies Stimme aus dem Keller. »Sie war hier! Ihre Tasche steht hier unten!«

»Echt?« Polternd rennt Vivian die Stufen hinunter und wendet sich zur Kellertür.

Das ist meine einzige Chance. Jetzt oder nie! Mir bleiben nur ein paar Sekunden.

Ich spurte durch die offen stehende Haustür hinaus in die Dunkelheit, renne, so schnell ich kann, über den Kiesweg hinaus auf die Straße.

Wohin? Magisch zieht mich die Musik von der Partywiese an. Bis hierher ist sie zu hören. Doch Leonie und Vivian werden mich bestimmt dort zuerst suchen. Weiter, erst mal weiter. Ich entdecke eine Tiefgarageneinfahrt. Ein großer Blumenkübel steht dort als Eckbegrenzung. Das Licht einer Straßenlaterne erreicht gerade noch die Kante des Betonkübels. Dahinter ist schützender tiefschwarzer Schatten. Ich überlege nicht lange, sondern ducke mich dort in die dunkelste Ecke. Ich bin so schnell gelaufen, dass mein Hals trocken ist und sticht. Meine Hand, in der ich das Muschelkästchen gehalten habe, fühlt sich taub an. Langsam beruhigt sich mein Atem.

Ich nehme das Kästchen und stelle es vor mich auf den noch immer warmen Asphalt. Der Deckel lässt sich nicht hochheben. Wäre auch zu schön gewesen. Es bleibt mir nichts anderes übrig, als es mit Gewalt zu öffnen. Ich schlage die Kante erst auf den Boden, dann gegen die Ecke des Blumenkübels. Die Truhe zerbricht in der Mitte, Ringe und Glasperlen rollen heraus, eine kleine Giraffe aus Glas zerspringt, gefaltete Seiten mit Löchern und Perforation fallen heraus – und die Teile der Postkarte. Sie bedecken die kaputte Giraffe, die bunten Perlen und die vielen Muscheln.

Mein Herzschlag dröhnt in meinen Ohren, als ich die Postkartenschnipsel aufhebe und auf dem Betonboden zusammenlege.

Kein Zweifel. Ich ziehe die Postkarte aus meiner Hosentasche. Identisch. Absolut identisch. *XS-Bar.* Das Cocktailglas mit der Zitronenscheibe. Auf der Rückseite kann ich im fahlen Licht der Straßenlaterne lesen:

XS-Bar, Hauptstraße 11, Kinding-Chiemsee.

Die Handschrift von Maurice kenne ich nicht. Abgesehen davon, dass es ziemlich ungewöhnlich ist, eine Postkarte zu schreiben – warum hat er keine SMS geschickt? –, war Maurice schon fast ein Jahr tot, als das *XS* aufgemacht hat.

Gut, die Handschrift lässt nicht unbedingt auf ein Mädchen schließen und ich kenne Leonies Handschrift, schließlich hat sie mir ja auch Briefe ins Gefängnis geschrieben. Aber das hat nichts zu sagen, denn ich weiß, dass Leonie ihre

Entschuldigungsschreiben für die Schule oft selbst unterschrieben hat – mit dem Namen ihrer Mutter. In Zeichnen gehörte sie zu den Besten.

Die einzige Erklärung, die mir zu dieser Karte, die angeblich von Maurice stammen soll, einfällt, ist, dass Leonie mir ein Motiv liefern wollte, damit ich glauben konnte, mit Maurice gestritten und ihn deshalb erschlagen zu haben.

Aber ich bin mir gerade so sicher wie noch nie: Ich habe im Bootshaus nicht mit Maurice gestritten. Leonie hat mir die Karte gezeigt, weil sie mir eine andere Erinnerung geben wollte. Sie wollte mein Gedächtnis manipulieren! Das war, wie wenn man lange und oft genug ein Foto betrachtete, bis man dieses Bild zusammen mit anderen, echten Erinnerungen abgespeichert hat. Man wusste dann gar nicht mehr, ob die Erinnerung vom Foto stammte oder ob man es selbst erlebt hatte.

Es gibt keine Zweifel: Leonie will, dass ich glaube, dass ich es war. Damit der wahre Täter nie gefunden wird. Und Nadia benutzt sie für ihre eigenen Interessen. Angeblich hat sie mich ja gesehen, aber ich wage zu zweifeln, dass das stimmt. Wen also schützt sie? Sich selbst? Vivian?

In diesem Augenblick wird ein Motor angelassen, Scheinwerfer blitzen auf, ich ducke mich tiefer hinter den Blumenkübel. Hoffentlich will jetzt keiner in die Tiefgarage! Doch der Wagen schießt vorbei und ich kann gerade noch den silberfarbenen Mercedes von Leonies Eltern erkennen. Wo wollen sie hin? Zur Party? Mich suchen? Wenigstens haben sie mich nicht entdeckt.

Ich betrachte die gefalteten Papierbögen. Ausgefranst auf einer Seite. Herausgerissen aus einem Heft. Aber das ist eindeutig nicht Leonies Schrift! Sie ist gedrungener und liegt jeweils ein paar Millimeter unter der Zeilenlinie. Ich überfliege die einzelnen Seiten, dann sehe ich das Datum: *13. Juli letztes Jahr.* Das war der Tag vor der Sommerparty.

Ich erwarte nichts Gutes, als ich anfange zu lesen.

27. Mai

Ich muss immer an ihn denken! Jede Faser meines Ichs sehnt sich nach ihm.

Seine Stimme ist wie Samt und trotzdem so männlich. Seine Augen so sanft und doch so fordernd. Seine Hände, er hat so wahnsinnig schöne Hände, schlank und doch muskulös. Und sein Körper, so stark und . . .

Ich könnte ihn immer ansehen! Aber er beachtet mich nicht. Das tut so weh. So unbeschreiblich weh.

Wer ist damit gemeint? Und wer hat das geschrieben? Ich falte die nächste Seite auseinander.

13. Juli

Heute nach Englisch bin ich als Letzte noch im Raum geblieben. Da hat er mich ansehen müssen! Morgen ist doch die Party am See. Gehen Sie hin? Meine Schwester tritt da mit ihrer Band auf. *So was hab ich gesagt. Etwas Besseres ist mir nicht eingefallen.*

Und er? Hat mich angesehen!

Das ist doch eine Schülerparty, oder? Lehrer unerwünscht!

Mann, wie er dabei gelächelt hat! Ich bin, glaub ich, ein bisschen rot geworden.

Das gilt nur für ein paar!, *hab ich gesagt und musste mich anstrengen, ihn nicht so anzuhimmeln. Und außerdem sind* Sie ja Referendar!, *hab ich noch hinzugefügt.*

Als er nichts gesagt, nur gelächelt und dann seine Tasche zugemacht hat, konnte ich nicht anders und hab einen ziemlich blöden Vorwand benutzt, um ihn einzuladen. Ausgerechnet Leonie hab ich hergenommen. Sie würde sich sehr freuen, also sie und ihre Band würden sich wahnsinnig freuen, wenn Sie kommen würden, *hab ich behauptet.*

Superlüge. Und so was gefaselt wie: Es gibt ja nicht so viele Lehrer hier, die die Musik der Flings verstehen.

Und ich soll sie verstehen?, *hat er gefragt.*

Ich hab die Schultern gezuckt und mich angestrengt, nicht so aufgeregt zu sein.

Wieder sein Lächeln. Dann sag deiner Schwester einen schönen Gruß, ich werd mal sehen, was sich machen lässt!

Als er rausgegangen war, hab ich ganz fest die Faust auf die Tischplatte gehauen, sonst wäre ich vor Glück wahrscheinlich verrückt geworden.

Nadia also . . .

15. Juli steht auf der anderen Seite. Der Tag nach der Party. Der Tag, an dem für mich nichts mehr so war wie vorher.

Ich lehne mich gegen die Mauer der Tiefgarageneinfahrt, strecke meine Beine aus, dann lese ich:

Alles ist aus. Was passiert ist, hat alles verändert. Ich liege seit letzter Nacht im Bett, ich will auch die nächsten Tage nicht aufstehen. Nie mehr. Mum und alle denken, ich bin krank. Franziska hat Maurice erschlagen!

Ich war mit Olaf am Bootshaus, es war alles so schön! Ich hab ihn dahingelockt, ja, hab gesagt, unten am Bootshaus würden ein paar Leute Joints rauchen. Stimmte überhaupt nicht, aber ich wollte, dass er mit mir runter zum See geht. Denn oben auf der Wiese hat er mir so seltsam zugelächelt. Und er hat so viel gelacht . . .

Natürlich war unten am Bootshaus niemand, hab ich jedenfalls gedacht. Da hab ich einen Joint angezündet und wir haben ein bisschen rumgestanden. Und er hat nichts wegen des Joints gesagt. Ich glaube, er war ein bisschen beschwipst und dann hat er auch ein paar Züge genommen und wir haben gelacht und ich hab mich ganz nah zu ihm gestellt, ach, es war so wunder-, wunderschön. Wir haben alles um uns herum vergessen, er hat mein T-Shirt hochgeschoben und ich seins und mir ist ganz anders geworden, seine warmen Hände auf meinem nackten Bauch, mir war, als würde Strom durch mich hindurchfließen. Er hat mich an sich gezogen und mich geküsst und plötzlich lagen wir im Gras, mein Körper schmiegte sich an seinen, da schob er mein T-Shirt noch weiter hoch und ich spürte seine Hände bis zu meinen Brüsten hochwandern, ich spürte eine mächtige Woge heranrollen, ich wollte explodieren – da kam ein Schrei aus dem Bootshaus.

Von einem Moment auf den anderen war alles aus. Er stand auf, sah mich plötzlich ganz komisch an, als hätte er keinen Schimmer, was wir hier gerade gemacht hatten, und rannte dann ins Bootshaus. Ich bin einfach draußen geblieben und hab gewartet. Plötzlich hat Leonie vor mir gestanden. So, wie sie mich gemustert hat, wusste sie genau, was Olaf und ich gemacht hatten. Sie hat sich umgedreht und ist wieder im Bootshaus verschwunden.

Als Olaf wieder rauskam, war er ganz anders. So kalt.

Was ist denn los?, *hab ich gefragt.*

Hau einfach schnell ab und sag niemandem, dass du hier warst!, hat er geantwortet. Und dann hat er sich umgedreht und ist einfach gegangen.

Leonie hat mir vorhin heiße Schokolade gebracht und sich zu mir aufs Bett gesetzt. Dann hat sie mich ganz eindringlich angesehen und gesagt, dass alles unter Kontrolle wäre. Dass er nicht sagen wird, dass er mit mir am Bootshaus war. Dafür hätten sie gesorgt.

Wie denn, *wollte ich wissen,* und wer ist *sie?*

Er hat was zu verlieren, hat sie dann gesagt und ich hab genickt. Ja, seine Anstellung.

Ich darf ihn aber nie wieder treffen.

Ich kann einfach nicht glauben, dass Franziska Maurice umgebracht hat, *hab ich gesagt. Da hat mich Leonie komisch angesehen und ich musste ihr versprechen, dass ich das nie mehr infrage stellen werde.*

17. Juli

Die Polizei glaubt, dass es Franziska war.

Ich bin heute zu ihm, wusste, dass er auch in den Ferien Nachhilfeunterricht in der Schule gibt. Er hat mich überhaupt nicht angesehen, hat einfach so getan, als wär er vollauf damit beschäftigt, seine Tasche weiter einzuräumen.

War es Leonie?, *hab ich ihn einfach gefragt.*

Völlig panisch ist er geworden und hat sich umgesehen, dabei war doch gar keiner mehr außer uns im Klassenraum. Dann hat er mein Handgelenk gepackt und mir ganz fest in die Augen gesehen. Mir ist eine Gänsehaut über den Körper gelaufen. Aber keine angenehme.

Pass auf, Nadia, *hat er mit schmalen Lippen gesagt, die Po-*

lizei hat das Bootshaus abgesucht. Sie haben unsere Joints gefunden. Wir können nur beten, dass sie sie nicht weiter untersuchen. *Er machte eine Pause. Mein Handgelenk war in seinem Griff wie in einen Schraubstock eingespannt. Ich wollte ihn so gern küssen.*

Spinnst du, Nadia! *Er wischte sich mit dem Handrücken über seine Lippen und ließ mich los.* Ich fliege von der Schule, bevor ich überhaupt richtig angestellt bin! Und du übrigens auch!

Wir könnten zusammen weggehen, weit, weit weg. Nach Irland oder so. Da gibt's Steinhäuser am Meer und wir könnten über den Strand reiten. Ich könnte mir nichts Tolleres vorstellen . . .

Du bist ja total durchgeknallt!

Ja, das hat er gesagt und das war so, so gemein. Wie kann er nur so was zu mir sagen! Ich liebe ihn. Und er ist so, so fies!

Ich würde die Realität nicht sehen, hat er gesagt. Und dass ich außerdem ganz schön jung und naiv wäre. Er hat seine Tasche zugeklappt und ist gegangen. In der Tür hat er sich noch mal umgedreht. Er hat mir verboten, mit irgendjemandem darüber zu sprechen.

Und ich darf auch niemandem erzählen, dass wir uns geküsst und noch mehr gemacht haben?, *hab ich ihn gefragt.*

Da hat er nur den Kopf geschüttelt und hat noch gemeint, dass ich ja verrückt bin und er außerdem verheiratet ist. Dann ist er einfach gegangen.

Bestimmt glücklich, *hab ich ihm nachgeschrien. Wie kann jemand wie er nur so eine alte Kuh heiraten?*

Vor Wut hab ich Kreidestücke durchs Zimmer geworfen. War leider nichts anderes da.

Es tut mir leid um Franziska. Sie hat so was Mitleiderregendes, wenn sie in ihren Billigklamotten rumläuft und keine Ahnung von allem hat.

Diese Sätze schockieren mich zwar nicht mehr, aber sie tun weh.

18. Juli

Leonie hat es Mum und Dad gesagt, dass ich was mit Olaf Ritter hatte. Ich hab Hausarrest. Mum behandelt mich wie ekligen Dreck und Dad beachtet mich einfach nicht.

Warum hast du es ihnen gesagt, *hab ich Leonie gefragt.*

Weil Winter die Ermittlungen leitet. Und weil eure blöden Joints verschwinden müssen und weil Olaf Ritter nichts am Bootshaus zu suchen hatte.

Kommissar Winter ist der Typ, der Mum wieder ihren Führerschein verschafft hat und auch zum Club gehört.

Es kotzt mich an. Aber in dem Fall ist es die Rettung.

Nadias Aufzeichnungen. Herausgerissen aus einem Tagebuch und in Leonies Geheimschatulle verwahrt.

Leonie muss ganz schön Angst haben, dass Nadia etwas verrät. Oder . . . Leonie will für immer etwas gegen ihre Schwester in der Hand haben.

Für einen kurzen Moment schließe ich die Augen. Mache mir klar, was das alles bedeutet. Ich bin nicht schuld an Maurice' Tod. Ich bin keine Mörderin. Warum fühle ich mich trotzdem nicht wirklich erleichtert? Wie eine Faust schließt sich etwas um mein Herz und drückt es zusammen.

Wie hab ich nur so blind sein können? Wie konnte ich nur auf dieses ganze Freundinnengetue reinfallen? *Ich war so gemein, bitte verzeih mir! Wir werden immer Freundinnen bleiben, ach, Ziska!*

Leonie hat mich die ganze Zeit schamlos belogen. Sie hat mich für ihre Tat büßen lassen, ohne mit der Wimper zu zucken. Ich habe nicht für möglich gehalten, dass jemand so gemein, hinterhältig und falsch sein kann. Ein bitterer Geschmack breitet sich in meinem Mund aus, als hätte ich etwas Vergiftetes gegessen.

Alles unter Kontrolle, hat Leonie gesagt, schreibt Nadia. *Er sagt nicht, dass er uns gesehen hat.*

Leonie und Vivian . . .

Die beiden waren im Bootshaus, haben Maurice und mich überrascht . . . sie haben ihn erschlagen und mich dabei verletzt. Dann haben sie mir das Ruder in die Hand gedrückt. Der Schrei von Maurice – oder mir – hat Olaf Ritter alarmiert, der kam rein, vielleicht gerade, als Leonie und Vivian hinausrannten. Sie haben ihm eingetrichtert, dass ich Maurice erschlagen hätte. Dann haben sie ihn allem Anschein nach erpresst: Wenn er erzählt, dass sie im Bootshaus waren, würde Leonie sagen, dass er mit ihrer fünfzehnjährigen Schwester Sex hatte. Das wäre das Aus für ihn gewesen. Ja, und auf einmal passt auch ins Bild, dass Leonie plötzlich keine Vieren mehr, sondern Zweien in den Fächern von Ritter hatte. Englisch und Deutsch. Das hat sie mir sogar ins Gefängnis geschrieben . . .

Mein Handy vibriert, stimmt, ich hatte es auf lautlos gestellt.

Eine SMS . . . von Leonie.

Es ist nicht so, wie du denkst. Komm zum Bootshaus, dringend!, steht auf dem Display.

Was will sie dort? Mich weiter anlügen?

Die Wut in meinem Bauch ballt sich zu einer brennenden Kugel zusammen. Ich stopfe die ausgerissenen Tagebuchseiten und die Postkartenschnipsel in meine Hosentaschen, lasse die zerbrochene Schatulle mit den Glas- und Muschelscherben einfach liegen und laufe los. Zum Bootshaus.

Es ist Zeit für die Abrechnung.

32

Das Ende der Straße liegt direkt vor mir. Dahinter erstrecken sich die Wiesen von Franz Niederreiter bis zum schmalen Uferweg hinunter, der zum Bootshaus führt. Ein pulsierender Lichterschein liegt über den Bäumen und Musik dringt durch die Nacht. Schon höre ich Stimmen und Lachen. Der typische Geruch nach Holzkohlegrill und Würstchen steigt mir in die Nase und vermischt sich mit dem der Bäume und Blüten. So wie letztes Jahr, als ich mit Maurice über die Wiese schlenderte.

Dieses Jahr ist Maurice tot. Sein Körper in der Erde vergraben. Tränen laufen mir über die Wangen, ich wische sie ab. Jetzt ist keine Zeit zu trauern. Von Weitem höre ich ein Grollen. Ein Gewitter?

Ich steige über die Schranke am Ende der Straße und bleibe stehen, lausche. Das ist doch . . . mein Song! Meine Stimme!

Du sagst, du bist nichts wert.
Man liebt nicht jemand wie mich.
Ich sage: doch ich liebe dich.
Das ist unmöglich,
entgegnest du und drehst dich weg.

Und was soll ich jetzt tun?
Du sagst: Tu mir nicht weh.
Ich sag: Dann geh! Geh, geh, geh!
Denn Liebe braucht Mut,
stürz dich vom Fels und flieg!

Ich kann nicht fliegen!
Sagst du. Ich werde sterben!
Wirst du nicht!
Werd ich doch!
Du Feigling!

Sag ich doch: Ich bin nichts wert.
Halt endlich die Klappe!
Gib mir die Hand und spring
Mit mir!
Nein!

Dann geh und versteh
Liebe braucht Mut! Mut! Mut!

Dass sie meinen Song spielen, wundert mich. In ihren Augen bin ich doch die Mörderin! Die, die von allen hier gehasst wird. Oder sie haben längst alle vergessen, dass ich bei den Flings mal dabei war . . . Wahrscheinlich sind Maya, Vivian und Leonie total stolz auf »ihren« Song – obwohl ich den ja damals geschrieben hatte. Aber mich würde es nicht wundern, wenn sie ihn als den ihren ausgeben würden . . .

Ich renne weiter. Von Weitem sehe ich Lampions und Lichterketten an den Bäumen, wie letztes Jahr, sie tauchen die Wiese und den angrenzenden Wald in ein gespenstisches Licht. Schatten werden übergroß und manche Gesichter zu Angst einflößenden Masken. Doch letztes Jahr fand ich es romantisch.

Schon begegne ich den ersten Leuten. Pärchen, die Hand in Hand flüsternd über die Wiese wandeln. Ein Grüppchen aus drei Mädchen, die miteinander tuschelnd zum Wald streben.

Vier Jungs, die mit einer Dose Fußball spielen. Die Bühne vor mir leuchtet in orangefarbenem Licht. Orange wollte ich letztes Jahr. Da wollten sie Hellblau. Doch diesmal spielt nicht *The Fling*. Ein DJ legt Musik auf.

Aus den Lautsprechern dringt mein letztes Wort. *Mut.* Dann verhallt es und geht im nächsten Titel unter.

Auf einmal kommt Maya auf mich zugelaufen, einen Jungen mit langem dunklem Haar und Schlafzimmerblick im Schlepptau. Sie hat mich gesehen und bleibt überrascht stehen. »Ziska, du hier? Hab schon gehört, dass du doch nicht nach Hause gefahren bist. Aber, he, du siehst ja echt fertig aus!«

»Lass mich einfach.« Ich will mich umdrehen, doch sie hält mich an der Schulter fest. Ihr Blick dringt tief in meine Augen.

»Hat es mit Leonie und Vivian zu tun?«

Weiß sie etwa nichts?

Maya gibt dem Jungen einen kurzen Kuss, dann schickt sie ihn fort. Als sie sich wieder zu mir umdreht, legt sie mir einen Arm um die Schulter. »Die beiden sind total durchgeknallt! Irgendwie haben sie mit der Sache vom Bootshaus zu tun, das ist mir klar geworden.«

»Sie haben dir also nichts gesagt?« Ich weiß nicht, ob ich ihr glauben soll.

Sie schüttelt ihre blonde Mähne. »Nein! Sie sind letztes Jahr hinter euch hergeschlichen. Leonie war total wütend, dass sich Maurice für dich und nicht für sie interessiert, dass er sie überhaupt nicht mehr beachtet hat. Tja, und Vivian war auf diesem bescheuerten *Ich-mach-das-für-dich-und-alle-Typen-sind-sowieso-scheiße-Trip*. Mensch, Ziska, sie wollten mir nie sagen, was wirklich passiert ist. Sie waren,

waren einfach so seltsam . . .« Ihre großen Augen sehen mich hilflos an.

»Und von dieser Postkarte wusstest du nichts?«, frage ich.

»Welche Postkarte?«

Soll ich ihr wirklich glauben? »Ich muss los, Maya.«

»Wohin?«

Der wütende Feuerball in mir sprüht Funken und seine Flammen züngeln. »Zur Abrechnung.«

Sie sieht mich entsetzt an. »Ich komme mit.«

»Nein, das geht nur mich und die beiden was an.«

»Nein, Ziska«, sagt sie bestimmt. »Ich stehe auf deiner Seite! Vielleicht haben sie mich auch die ganze Zeit belogen!«

Es ist mir nicht ganz recht, dass sie mitkommt.

»Und außerdem . . .«, fügt sie hinzu, »weißt du, was sie mit dir vorhaben? Die beiden sind echt verrückt.« Sie schüttelt den Kopf. »Komm, lass uns gehen! He, hört sich nach Gewitter an.«

Das Grollen ist lauter geworden. Und Wind ist aufgekommen.

33

Wir drängen uns an den eng stehenden Grüppchen vor der Bühne vorbei und laufen in die stillere Dunkelheit hinunter zum See.

Wie letztes Jahr mit Maurice, denke ich. Mit jedem Schritt, den wir uns dem See nähern, wächst meine Wut. Maya legt mir besänftigend die Hand auf die Schulter. Sie hat es gemerkt.

Zwischen den Bäumen glitzert plötzlich die schwarz glänzende Fläche vor uns. Schmatzend lecken Wellen am Ufer. Wind kräuselt die Oberfläche. Und in der Ferne ist wieder dieses Grollen zu hören. Sonst ist es still. Und doch warten hier irgendwo Leonie und Vivian.

»Wo wollten sie dich treffen?« Maya flüstert plötzlich.

»Am Bootshaus.«

»Hm. Ziemlich dramatisch.«

Das Bootshaus ragt auf einmal als dunkler Schatten rechts von uns auf. Ob die beiden drinnen sind?

Wieder lausche ich.

Eine Gestalt löst sich aus dem Schatten des Bootshauses. »Da bist du ja endlich!« Leonies Stimme klingt atemlos.

Ich explodiere, stürze mich auf sie, packe sie an ihrem Blusenkragen. »Du gemeines Stück! *Ihr* wart es! *Ihr* habt es getan! Vivian und du, ihr habt Maurice umgebracht! Gib's doch zu!«

Leonie ist steif, entsetzt starrt sie mich an. Sie hat Angst. Gut so!

»Du kannst froh sein, wenn ich dich zur Polizei schleife!«
Meine Stimme ist ganz rau, vor Wut bringe ich kaum etwas
hervor. Eine Hand packt mich an der Schulter, reißt mich herum. Das Einhorn blitzt auf. Vivian! Ich lasse eine Hand los
und greife nach Vivian, doch sie hat zwei freie Hände und
drängt mich rückwärts. Leonie ist wieder frei.

»Wie habt ihr nur so was tun können!«, bringe ich heraus.

Vivian stößt mich mit einem kräftigen Schubser rückwärts
die flache Uferböschung hinunter, ich stolpere über eine
Wurzel, kann mich gerade noch an herunterhängenden
Zweigen festhalten, da ist sie schon wieder bei mir, stößt
mich erneut.

»Maya!« Was ist mit ihr? Warum hilft sie mir nicht?

Vivians Lachen klingt grausam. »Du bist immer noch genauso naiv wie damals!«

Maya und Leonie stehen stumm am Ufer. Erhellt vom Vollmond, vor den gerade dunkle Wolken ziehen.

»Was habt ihr vor?«, rufe ich und mein Echo hallt über den
See, wird von einem grollenden Donner verschluckt.

Meine Sandalen sinken in den weichen Uferschlamm, ich
spüre, wie sich die breiige Erde zwischen meine Zehen
quetscht. Das Wasser reicht mir schon über die Knie. Hinter
mir erstreckt sich der weite See. Schwarz und weit und tief.
In meinem Kopf überschlagen sich die verschiedensten Horrorszenarien.

Sie werden es nicht tun. Sie KÖNNEN so was nicht tun!
Ich stemme mich nach vorn, ich muss aus dem verfluchten
Wasser raus, doch Vivian hat sich auf einen Stein gestellt, der
über die Wasseroberfläche ragt, und schubst mich zurück.

»Warum habt ihr Maurice umgebracht?« Ich will sie wissen, die Wahrheit, jetzt, egal, was dann passiert.

»Es war seine eigene Schuld«, sagt Leonie vom Ufer aus. »Er hat mich einfach nicht mehr beachtet! Hat mich links liegen lassen, wegen dir kleiner Tankstellen-Tussi!«

»Wir wollten ihm einen Denkzettel verpassen und euch den Spaß verderben«, schaltet sich Vivian ein und gibt mir einen weiteren Schubs. Ich kann mein Gleichgewicht auf dem weichen Untergrund nicht halten und taumle nach hinten. »Das Ruder hat dich nur gestreift und du bist wie eine Fliege ans Boot geknallt. Da ist er einfach völlig durchgedreht.«

»Hat sich auf uns gestürzt wie ein Irrer!« Überrascht drehe ich meinen Kopf, als ich Mayas Stimme höre. Sie war also auch dabei! Wie blöd bin ich eigentlich? Donner grollt. Regentropfen klatschen auf meinen Kopf.

»Ja, das liegt bei denen wahrscheinlich in der Familie. Hast du Claude schon mal ausflippen sehen? Wir mussten uns wehren!«, ruft Leonie.

»Und wer weiß, was er sonst mit uns gemacht hätte!« Vivian sieht mich aus dunklen Augen an.

»Und deshalb habt ihr ihn umgebracht?« Ich kämpfe gegen meine Tränen und die Wut, die unaufhaltsam in mir aufsteigen. »Ihr habt ihn getötet und mich ins Gefängnis geschickt!«

»Es war ein Unfall!«, schreit Leonie.

»Ach ja, und warum habt ihr mir dann das Ruder in die Hand gegeben?«, brülle ich zurück.

»Es war ein Reflex! Wir waren in Panik, als Maurice plötzlich tot vor uns lag.« Leonies Stimme klingt wie die eines kleinen, trotzigen Kindes.

»Olaf Ritter hat euch gesehen! Und dann habt ihr ihn erpresst, wolltet erzählen, dass er mit Nadia rumgemacht hat, ja?« Ich kann das alles nicht fassen! Diese Gemeinheit, diese Bösartigkeit!

Meine Wut und meine Angst verleihen mir neue Kräfte und ich werfe mich nach vorn, doch der Boden ist glitschig, ich rutsche nach hinten. Ich weiß nicht, was ich machen soll. Das Wasser reicht mir nun bis über den Bauchnabel, das Ufer fällt recht steil ab und Vivian steht auf dem Stein ein ganzes Stück höher als ich, sodass ich ihr kaum was anhaben kann. »Lasst mich raus!«, schreie ich. Doch keine reagiert.

»Bist du verrückt?«, schreit Vivian zurück. »Denkst du, wir haben Lust darauf, in den Knast zu wandern?«

»Du hast selbst erzählt, wie es da ist!« Leonie sieht mich wütend an. »Du glaubst ja wohl nicht, dass wir nicht alles tun werden, um das zu verhindern.«

Panik überrollt mich. Sie meinen es ernst. Sie wollen es tun, sie wollen es wirklich tun . . . Verzweifelt versuche ich, meine Sandalen aus dem schlammigen Seeboden zu ziehen und einen Schritt in Richtung Ufer zu machen. Vivian lässt mich dabei nicht aus den Augen.

»Weißt du, was das hier ist?« Leonie hält ein Stück Papier hoch. »Dein Abschiedsbrief. Du kannst mit der Schuld einfach nicht mehr leben.« Sie faltet das Papier zusammen und legt es unter einen Stein am Ufer. »Winter wird es verstehen.«

»Ihr seid verrückt! Ihr könnt das nicht wirklich tun!«, schreie ich, aber niemand gibt mir eine Antwort. Meine Kleider und Schuhe sind mittlerweile so vollgesogen und schwer, dass ich mich kaum noch bewegen kann. Ich habe das Gefühl, dass der See mich wie ein Magnet vom Ufer wegzieht. Der Regen wird stärker, der Wind auch. »Lasst mich raus, bitte, lasst mich hier raus!« Ich schreie all meine Verzweiflung, Wut und Angst aus mir heraus. Immer und immer wieder. Doch alle schweigen. Nur das Grollen des Donners kommt näher.

Liebe braucht Mut, Mut, Mut! Der Klingelton von meinem Handy! Es steckt in meiner Jackentasche, gerade noch über der Wasserlinie. Ich hab noch eine Chance! Ohne die Mädchen aus den Augen zu lassen, fasse ich in die Tasche, ziehe langsam das Handy hervor. In dem Moment entlädt sich ein greller Blitz in einen ohrenbetäubenden Donner. Ich zucke zusammen, das Handy rutscht aus meinen nassen Händen und fällt ins Wasser. Es verstummt sofort.

»Ist wohl nicht wasserdicht«, kommentiert Vivian mit spöttischem Lächeln.

Mit aller Kraft stürze ich mich jetzt noch mal nach vorne. Es ist meine einzige Chance, hier herauszukommen. Doch der Schlamm unter meinen Schuhsohlen lässt mich erneut ausrutschen, ich verliere den Halt und Vivian packt meine Handgelenke und hält mich fest.

Sie haben es sich doch anders überlegt, sind zur Vernunft gekommen, denke ich. Sie wollten mir bloß Angst machen, auf ihre gemeine Art eben. Maya und Leonie haben ihre Schuhe ausgezogen und kommen nun auch ins Wasser. Jetzt ziehen sie mich raus, hoffe ich, doch in dem Moment rammt mir Leonie eine Faust in den Magen. Ich kann noch nicht mal schreien, mir bleibt die Luft weg, dann kommt der Schmerz –

»Reicht es denn nicht . . .« Ich schnappe nach Luft, mein Magen krampft sich so schmerzhaft zusammen, dass es mir fast die Luft nimmt. »Reicht es denn nicht, dass ihr Maurice umgebracht habt?«, presse ich hervor.

»Du bist selbst schuld!«, sagt Leonie giftig. »Ich hab dich gewarnt! Ich wollte, dass du abreist, aber die Postkarte und die Drohbriefe haben dir ja nicht gereicht!«

»Warum hast du uns nicht einfach in Ruhe gelassen?«, kommt es von Maya.

Ich versuche, mich aus Vivians eisernem Griff zu befreien, doch Maya kommt ihr zu Hilfe.

»Aber ich hab doch zu euch gehört!«, stoße ich in meiner Panik hervor, versuche, die gemeinsame Zeit heraufzubeschwören. »Die Mutprobe . . . ich hab doch immer . . .«

Maya lacht auf. »Du hast nie zu uns gehört! Eine wie du passt nicht in unseren Club. Wir brauchten eine Sängerin, das war alles!«

Ihre gehässigen Worte brechen mir endgültig das Herz.

Alles ist verloren. Maurice ist tot und ihre Freundschaft hat nie existiert.

Das war nun also der Preis dafür, dass ich unbedingt mit ihnen befreundet sein wollte, teilhaben wollte an ihrem Leben, das mir so viel großartiger erschien als meines.

Diese Gedanken gehen mir für Bruchteile von Sekunden durch den Kopf, während sie mich weiter in den See zwingen. Mein Abschiedsbrief und mein Geständnis liegen am Ufer. Unerreichbar weit weg. Es wird so echt wirken. Niemand wird an meinem Selbstmord zweifeln. Neben mir treffen Regentropfen wie Schrotkugeln aufs Wasser. Es donnert in immer kürzeren Abständen und über dem See zucken die Gewitterblitze auf. Was für eine Kulisse, denke ich noch, da taucht mich Leonie unter Wasser.

Ich kämpfe mich nach oben, japse nach Luft.

»Du hattest kein Recht, dir einfach Maurice zu schnappen. Du hättest besser die Finger von ihm lassen sollen!«, stößt Leonie mit wutverzerrtem Gesicht hervor und taucht mich erneut unter Wasser.

Ich rudere, versuche zu treten, komme nach oben, will nach Hilfe schreien. »Hilf. . .« Da legt sich schon eine Hand über meinen Mund, tausend Hände sind plötzlich da, zerren überall an meinem Körper, ich kippe nach hinten, meine Sandalen bleiben an einem Stein hängen, ich falle, tauche unter Wasser, Hände drücken meinen Kopf nach unten, meine Beine strampeln, doch gegen die Überzahl der Hände habe ich keine Chance.

Ich verliere die Orientierung im dunklen Wasser, brauche Luft – da, endlich, meine Füße berühren Grund, ich stoße mich ab, jetzt sofort, hinauf an die rettende Oberfläche, ich ersticke sonst, ertrinke, doch da drückt wieder eine Hand auf meinen Kopf, bevor er den Wasserspiegel durchbricht, presst mich zurück in die Tiefe, ich schreie – lautlos, Wasser überall, um mich, in mir . . .

Ich sterbe.

Sometimes life is like crossing many rivers or a day in the sun . . . Die Sommerwiese, Tau auf meiner Haut, seine warme Hand in meiner . . . *Do you still remember the color of my eyes? The sound of my voice?* . . . Meine Lippen an seinem Hals, Duft nach Heu . . . *Time is the enemy, raindrops are falling outside not here – I wish I were there where rivers flow and the wind whistles our song* . . . So kurz das Leben . . . ich treibe davon . . .

Etwas packt meinen Arm, reißt mich hoch, katapultiert mich hinauf, hinauf in den Weltraum. Meine Lungen blähen sich, saugen den ganzen Sauerstoff der Welt ein, dann erst sehe ich das Gesicht über mir. Traum? Wirklichkeit? Bin ich schon tot?

Ich huste, pruste, spucke Wasser. Nein! Franz Niederreiter . . .

Entsetzt starre ich ihn an. Er ist klatschnass, es schüttet, es donnert, es blitzt. Dann erst begreife ich, dass er mich gerade vor dem Tod gerettet hat. Er trägt mich zum Ufer, setzt mich vor einem Baum auf dem Boden ab. Meine Kleider sind triefnass und scheinen Tonnen zu wiegen. Meine Lunge brennt, ich röchle, japse, huste, sauge alle Luft ein, die auf diesem Planeten existiert.

Er hockt neben mir, ich lehne mich gegen ihn, lasse meinen schweren Körper gegen den seinen sinken.

»Sah nicht mehr nach Spaß aus«, sagt er. Sein offenes Hemd und seine Hose kleben auf seinem Körper. »Wollte gerade mal nach dem Stromaggregat sehn, bei so 'nem Gewitter weiß man ja nie, da hab ich Schreie gehört.«

»Danke«, murmle ich, »danke.« Ich zittere am ganzen Körper, meine Lippen beben vor Kälte.

»Was wollten die eigentlich von dir?«, fragt er.

Ich sehe mich um, doch da ist niemand mehr. Nur zwei Scheinwerferkegel dringen durch die regnerische Nacht und ein laufender Motor ist zu hören. Der von Niederreiters Jeep.

»Sie haben ihn umgebracht, weil sie ihn mir nicht gegönnt haben.« Die Worte kommen aus meinem Mund, doch meine Stimme klingt fremd, als gehörte sie jemand anders.

Stirnrunzelnd sieht er mich an. »Bist du das Mädchen von der Tankstelle, das ins Gefängnis kam?«

Ich nicke.

»Du warst unschuldig.«

»Ja«, sage ich, dann schüttelt mich ein erneuter Hustenanfall. Das Sprechen tut weh. »Aber das wusste ich bis heute Nacht nicht sicher.«

Sein Blick schweift über den See, über den noch immer Blitze zucken. »Man kann nicht mehr schlafen. Und niemand kann einen wirklich verstehen. Weil es da diese dunkle Kammer im Herzen gibt. Die man mit sich rumschleppt, bis zum Tod.«

Ja. Doch auch jetzt, wo ich weiß, dass ich unschuldig bin, bin ich mir sicher, dass ich niemals vergessen werde, wie Maurice tot vor mir lag. Man hat ihm sein Leben genommen, einfach so. Sie dürfen nicht so einfach davonkommen. Ich rapple mich auf. »Wir müssen sie finden!« Er hilft mir aufstehen. Seine Hand ist nass.

»Sie sind abgehauen, als sie mich kommen gesehen haben.«

Mein Abschiedsbrief liegt noch immer unter dem Stein. Ich strecke die Hand aus, in dem Augenblick heult ein Motor auf, immer und immer wieder.

Stimmt! Sie sind mit Leonies Auto gekommen, müssen irgendwo geparkt haben . . .

»Hört sich an, als wäre jemand im Schlamm stecken geblieben«, sagt Niederreiter, »komm!«

Es schüttet jetzt wie aus Kübeln. In der nächsten Sekunde schon sitze ich neben ihm im Auto, Niederreiter tritt aufs Gas. Der Wagen rast über den Feldweg am Ufer entlang. Im Scheinwerferlicht fliegen die Regentropfen und Bäume auf uns zu. Da blitzt rechts auf der Wiese etwas auf, Leonies Mercedes, festgefahren wohl. Der Jeep steht mit einem Ruck, der Gurt reißt mich zurück, im selben Augenblick schießt der Mercedes heulend vor uns quer über den Feldweg, in die Baumreihe am See hinein – ein krachender Knall, der Motor verstummt, die Scheinwerfer gehen aus.

Ich starre stumm auf die Szenerie, die langsam vor meinen Augen verschwimmt. Dann umfängt mich tiefe Dunkelheit.

34

Ein hellblauer Himmel spannt sich über die Berge und den See, ein paar harmlose weiße Schleierwolken ziehen gemächlich darüber. Die Luft ist nicht mehr schwül, sondern frisch wie im Frühling. Als wäre etwas sauber gewaschen worden, denke ich und muss über den Vergleich lächeln. Benjamin steht neben mir, sein Arm ist so nah an meinem, dass ich die feinen Härchen spüren kann, die angenehm auf meiner Haut kitzeln. Laut Bahnhofsuhr bleiben uns nur noch fünf Minuten.

Es gäbe so viel zu sagen, aber ich weiß nicht, wo ich anfangen soll. Vielleicht geht es ihm genauso und wir haben die stille Übereinkunft getroffen, lieber zu schweigen.

Mein Blackout gestern hatte nur wenige Minuten gedauert. Als ich wieder zu mir kam, drehten sich vor mir Blaulichter von Polizei und Krankenwagen und Benjamins Gesicht war meinem ganz nah. Ich saß noch immer in Niederreiters Jeep und auf die Frontscheibe prasselten Regentropfen, aber das Gewitter war abgezogen.

»Ich hab mir gedacht, dass du zum Bootshaus wolltest, um alles noch mal zu erleben«, sagte er und seine ruhige Stimme tat mir gut. »Ich hab mit dem Dealer gesprochen, du weißt schon, der letztes Jahr auf der Sommerparty war. Er hat mir erzählt, dass ein Mädchen, das bei ihm immer Stoff kauft, ziemlich gefrustet ist, weil sie in ihren Lehrer verliebt ist, der aber seit dem Mord im Bootshaus nichts mehr von ihr wissen will. Ehrlich gesagt, hab ich ins Blaue hinein auf den Referendar getippt. Ich hab mich nämlich schon lange gefragt, was der wohl da am Bootshaus gesucht hat – so mitten in der Nacht. Außerdem soll er ja auch noch ein ziemlicher Mädchenschwarm sein. Der Dealer war ein bisschen geschwätzig und hat mir den Namen des Mädchens verraten. Ich bin heute mit dem Zeitungsartikel zu ihr gegangen und äh . . . na ja . . . ich hab ein bisschen geblufft, dass die Polizei einen Zeugen gefunden hat, der sie und Olaf Ritter am Bootshaus gesehen hat. Mann, die war echt ganz schön durch den Wind, stand wohl die ganze Zeit schon unter Stress. Und irgendwie war sie erleichtert, glaube ich, als sie mir erzählt hat, wie es wirklich war.«

»Sie wollten mich wirklich ertränken«, murmelte ich, noch immer fassungslos.

»Ja, Franz Niederreiter hat der Polizei schon alles berichtet . . . einem Kollegen von Winter. Nadia hat nämlich auch Winter belastet«, sagte er und drückte meine Hand. »Und Olaf Ritter.«

Ich nickte, zu mehr war ich nicht fähig.

In den Krankenwagen wurden Tragen geschoben.

»Außer ein paar Schürfwunden haben sie nichts abgekriegt«, sagte er, als könnte er meine Gedanken lesen und lächelte. »Körperlich, meine ich«, fügte er hinzu.

Ich weiß nicht, ob es dieses Lächeln war oder das Gefühl, wie er meine Hand hielt, aber als sich unsere Blicke trafen, brach etwas in mir auf. Eine Kruste, irgendwas, was diese tiefe Wunde in mir überwachsen hatte. Ich heulte und hörte nicht mehr auf, bis ich so schluchzte, dass ich kaum noch atmen konnte. Da fing er mich in seinen Armen auf und streichelte immer wieder über mein Haar. Ich wollte etwas sagen, mich entschuldigen, doch er legte nur den Finger auf seine Lippen und sagte: »Psst, ist schon okay . . .«

Aus dem Lautsprecher kommt die Ansage für meinen Zug nach Köln. Der Zeiger auf der großen Uhr springt einen Minutenstrich weiter. Heute Abend werde ich meinen Eltern erzählen, was passiert ist. Vielleicht werde ich es dann wirklich begreifen.

Mit schrillem Quietschen fährt der Zug ein. Auf dem Bahnsteig macht sich Unruhe breit.

»Meinst du, wir sehen uns wieder?«, fragt er und sieht mich an.

»Ich heiße Benjamin«, hat er bei unserer ersten Begegnung gesagt und ich war erleichtert, dass er blaue und nicht braune Augen hatte – wie Maurice.

»Ich werde ihn nie vergessen können«, sage ich.

»Das sollst du ja auch nicht.«

Ich nicke. Er lächelt. Wir umarmen uns, dann reicht er mir die Tasche in den Zug.

Ich nehme den ersten Fensterplatz. Benjamin steht immer noch da am Bahnsteig. Als er mich entdeckt, legt er seine flache Hand an die Scheibe. Ich lege meine dagegen. Obwohl das Glas uns trennt, spüre ich seine Hand auf meiner.

Inge Löhnig

Schattenkuss

Lena hat eigentlich keine Lust, ihre Mutter in das verschlafene Dörfchen Altenbrunn zu begleiten. Doch dann taucht plötzlich immer öfter der Name Ulrike in den Gesprächen auf und Lena hört zum ersten Mal, dass sie eine Tante hat, die vor 20 Jahren spurlos verschwand. Als sie beginnt, Nachforschungen anzustellen, stößt Lena schnell auf eine Mauer aus Schweigen, Misstrauen, Aggression und ... Angst.

264 Seiten. Klappenbroschur.
ISBN 978-3-401-06541-0
www.arena-verlag.de

Krystyna Kuhn

Aschenputtelfluch

Idyllisch liegt das Internat Ravenhorst in einem Seitental. Doch als sich eine der Schülerinnen vom Glockenturm stürzt, wandelt sich die Idylle in einen Albtraum. Warum hat sich Kira in den Tod gestürzt? Jule, eine der Neuen im Internat, macht sich auf die Suche. Aber sie stößt bei ihren Mitschülern auf eine Mauer des Schweigens. Bis sich die Ereignisse zu wiederholen scheinen.

232 Seiten. Klappenbroschur.
ISBN 978-3-401-06385-0
www.arena-verlag.de

Krystyna Kuhn
Das Tal – Season 1

Das Spiel (Bd. 1)
bereits erschienen

Die Katastrophe (Bd. 2)
erscheint im August 2010

Eine hippe Einweihungsparty im Bootshaus: So feiern die Freshmen ihre Ankunft im Grace-College. Doch dann beobachtet der stille Robert das Unfassbare: Ein Mädchen läuft in tiefer Nacht in den See. Sie wird von einem merkwürdigen Strudel erfasst und ertrinkt. Am nächsten Morgen ist tatsächlich ein Mädchen spurlos verschwunden. Aber Angela kann nicht in den See gelaufen sein. Denn Angela sitzt seit ihrer Geburt im Rollstuhl.

Katie hat nur ein Ziel. Den Gipfel des Ghosts, jenes legendären Dreitausenders, der das Tal überragt. Unheimliche Mythen ranken sich um den Berg, seit dort in den 70er Jahren eine Gruppe von Jugendlichen verschwunden ist. Und doch machen sich Katie und ihre Freunde auf den Weg. Aber am Berg wird sehr schnell klar, wer zum Freund wird, wer ein Feind ist ...

Arena

304 Seiten. Klappenbroschur.
ISBN 978-3-401-06472-7
www.arena-verlag.de

304 Seiten. Klappenbroschur.
ISBN 978-3-401-06473-4
www.das-tal.com